W9-DDW-024

LA CASA DE BERNARDA ALBA

LA ZAPATERA PRODIGIOSA

COLECCIÓN AUSTRAL
N.º 1520

FEDERICO GARCÍA LORCA

LA CASA DE BERNARDA ALBA

LA ZAPATERA PRODIGIOSA

DUODECIMA EDICION

ESPASA-CALPE, MEXICANA, S.A.
Pitágoras, 1139
Delegación Benito Juárez
03100 MEXICO, D.F.

Ediciones para la

COLECCION AUSTRAL

Primera edición: 22-III-1973
Duodécima edición: 30-XI-91

Queda hecho el depósito dispuesto por la ley
ISBN 968-413-058-9

Esta obra se terminó de imprimir
en noviembre de 1991 en los Talleres
Gráficos Continental, S.A.
Calzada de Tlalpan 4620, Col. Niño Jesús
Tlalpan, D.F., Tel. 655-26-29
La edición consta de 2,000 ejemplares

ÍNDICE

LA CASA DE BERNARDA ALBA Páginas

LA ZAPATERA PRODIGIOSA

LA CASA DE BERNARDA ALBA

DRAMA DE MUJERES EN LOS PUEBLOS DE ESPAÑA

(1936)

PERSONAJES

BERNARDA *(60 años).*
MARÍA JOSEFA *(madre de Bernarda, 80 años).*
ANGUSTIAS *(hija de Bernarda, 39 años).*
MAGDALENA *(hija de Bernarda, 30 años).*
AMELIA *(hija de Bernarda, 27 años).*
MARTIRIO *(hija de Bernarda, 24 años).*
ADELA *(hija de Bernarda, 20 años).*
LA PONCIA *(criada, 60 años).*
CRIADA *(50 años).*
PRUDENCIA *(50 años).*
MENDIGA.
MUJER 1.ª
MUJER 2.ª
MUJER 3.ª
MUJER 4.ª
MUCHACHA.

MUJERES DE LUTO

El poeta advierte que estos tres actos tienen la intención de un documental fotográfico

ACTO PRIMERO

Habitación blanquísima del interior de la casa de Bernarda. Muros gruesos. Puertas en arco con cortinas de yute rematadas con madroños y volantes. Sillas de anea. Cuadros con paisajes inverosímiles de ninfas o reyes de leyenda. Es verano. Un gran silencio umbroso se extiende por la escena. Al levantarse el telón está la escena sola. Se oyen doblar las campanas. Sale la CRIADA

CRIADA

Ya tengo el doble de esas campanas metido entre las sienes.

LA PONCIA

(Sale comiendo chorizo y pan)

Llevan ya más de dos horas de gori-gori. Han venido curas de todos los pueblos. La iglesia está hermosa. En el primer responso se desmayó la Magdalena.

CRIADA

Es la que se queda más sola.

LA PONCIA

Era la única que quería al padre. ¡Ay! ¡Gracias a Dios que estamos solas un poquito! Yo he venido a comer.

CRIADA

¡Si te viera Bernarda!...

LA PONCIA

¡Quisiera que ahora como no come ella, que todas nos muriéramos de hambre! ¡Mandona! ¡Dominanta! ¡Pero se fastidia! Le he abierto la orza de los chorizos.

CRIADA

(Con tristeza, ansiosa)

¿Por qué no me das para mi niña, Poncia?

LA PONCIA

Entra y llévate también un puñado de garbanzos. ¡Hoy no se dará cuenta!

VOZ

(Dentro)

¡Bernarda!

LA PONCIA

La vieja. ¿Está bien cerrada?

CRIADA

Con dos vueltas de llave.

LA PONCIA

Pero debes poner también la tranca. Tiene unos dedos como cinco ganzúas.

VOZ

¡Bernarda!

LA PONCIA

(A voces)

¡Ya viene! (*A la* CRIADA.) Limpia bien todo. Si Bernarda no ve relucientes las cosas me arrancará los pocos pelos que me quedan.

CRIADA

¡Qué mujer!

LA PONCIA

Tirana de todos los que la rodean. Es capaz de sentarse encima de tu corazón y ver cómo te mueres durante un año sin que se le cierre esa sonrisa fría que lleva en su maldita cara. ¡Limpia, limpia ese vidriado!

CRIADA

Sangre en las manos tengo de fregarlo todo.

LA PONCIA

Ella, la más aseada; ella, la más decente; ella, la más alta. ¡Buen descanso ganó su pobre marido!

(Cesan las campanas.)

CRIADA

¿Han venido todos sus parientes?

LA PONCIA

Los de ella. La gente de él la odia. Vinieron a verlo muerto y le hicieron la cruz.

CRIADA

¿Hay bastantes sillas?

LA PONCIA

Sobran. Que se sienten en el suelo. Desde que murió el padre de Bernarda no han vuelto a entrar las gentes bajo estos techos. Ella no quiere que la vean en su dominio. ¡Maldita sea!

CRIADA

Contigo se portó bien.

LA PONCIA

Treinta años lavando sus sábanas; treinta años comiendo sus sobras; noches en vela cuando tose; días enteros mirando por la rendija para espiar a los vecinos y llevarle el cuento; vida sin secretos una con otra, y sin embargo, ¡maldita sea! ¡Mal dolor de clavo le pinche en los ojos!

CRIADA

¡Mujer!

LA PONCIA

Pero yo soy buena perra; ladro cuando me lo dicen y muerdo los talones de los que piden limosna cuando ella me azuza; mis hijos trabajan en sus tierras y ya están los dos casados, pero un día me hartaré.

CRIADA

Y ese día...

LA PONCIA

Ese día me encerraré con ella en un cuarto y le estaré escupiendo un año entero. «Bernarda, por esto, por aquello, por lo otro», hasta ponerla como un lagarto machacado por los niños, que es lo que es ella y toda su parentela. Claro es que no le envidio la vida. La quedan cinco mujeres, cinco hijas feas, que quitando Angustias, la mayor, que es la hija del primer marido y tiene dineros, las demás, mucha puntilla bordada, muchas camisas de hilo, pero pan y uvas por toda herencia.

CRIADA

¡Ya quisiera tener yo lo que ellas!

LA PONCIA

Nosotras tenemos nuestras manos y un hoyo en la tierra de la verdad.

CRIADA

Esa es la única tierra que nos dejan a las que no tenemos nada.

LA PONCIA

(En la alacena)

Este cristal tiene unas motas.

CRIADA

Ni con jabón ni con bayeta se le quitan.

(Suenan las campanas.)

LA PONCIA

El último responso. Me voy a oírlo. A mí me gusta mucho cómo canta el párroco. En el «Pater Noster» subió, subió la voz que parecía un cántaro de agua llenándose poco a poco; claro es que al final dio un gallo; pero da gloria oírlo. Ahora que nadie como el antiguo sacristán Tronchapinos. En la misa de mi madre, que esté en gloria, cantó. Retumbaban las paredes, y cuando decía Amén era como si un lobo hubiese entrado en la iglesia. *(Imitándolo.)* ¡Amééé-én! *(Se echa a toser.)*

CRIADA

Te vas a hacer el gaznate polvo.

LA PONCIA

¡Otra cosa hacía polvo yo! *(Sale riendo.)*

(La CRIADA *limpia. Suenan las campanas.)*

CRIADA

(Llevando el canto)

Tin, tin, tan. Tin, tin, tan. ¡Dios lo haya perdonado!

MENDIGA

(Con una niña)

¡Alabado sea Dios!

CRIADA

Tin, tin, tan. ¡Que nos espere muchos años! Tin, tin, tan.

MENDIGA

(Fuerte y con cierta irritación)

¡Alabado sea Dios!

CRIADA

(Irritada)

¡Por siempre!

MENDIGA

Vengo por las sobras.

(Cesan las campanas.)

CRIADA

Por la puerta se va a la calle. Las sobras de hoy son para mí.

MENDIGA

Mujer, tú tienes quien te gane. ¡Mi niña y yo estamos solas!

CRIADA

También están solos los perros y viven.

MENDIGA

Siempre me las dan.

CRIADA

Fuera de aquí. ¿Quién os dijo que entraseis? Ya me habéis dejado los pies señalados. *(Se van. Limpia.)* Suelos barnizados con aceite, alacenas, pedestales, camas de acero, para que traguemos quina las que vivimos en las chozas de tierra con un plato y una cuchara. Ojalá que un día no quedáramos ni uno para contarlo. *(Vuelven a sonar las campanas.)* Sí, sí, ¡vengan clamores! ¡Venga caja con filos dorados y toalla para llevarla! ¡Que lo mismo estarás tú que estaré yo! Fastídiate, Antonio María Benavides, tieso con tu traje de paño y tus botas enterizas. ¡Fastídiate! ¡Ya no volverás a levantarme las enaguas detrás de la puerta de tu corral! *(Por el fondo, de dos en dos, empiezan a entrar* MUJERES DE LUTO, *con pañuelos grandes, faldas y abanicos negros. Entran lentamente hasta llenar la escena. La* CRIADA, *rompiendo a gritar.)* ¡Ay Antonio María Benavides, que ya no verás estas paredes ni comerás el pan de esta casa! Yo fui la que más te quiso de las que te sirvieron. *(Tirándose del cabello.)* ¿Y he de vivir yo después de haberte marchado? ¿Y he de vivir?

(Terminan de entrar las doscientas MUJERES *y aparece* BERNARDA *y sus cinco* HIJAS.)

BERNARDA
(A la CRIADA*)*

¡Silencio!

CRIADA
(Llorando)

¡Bernarda!

BERNARDA

Menos gritos y más obras. Debías haber procurado que todo esto estuviera más limpio para recibir al duelo. Vete. No es este tu lugar. *(La* CRIADA *se va llorando.)* Los pobres son como los animales; parece como si estuvieran hechos de otras sustancias.

MUJER 1.ª

Los pobres sienten también sus penas.

BERNARDA

Pero las olvidan delante de un plato de garbanzos.

MUCHACHA
(Con timidez)

Comer es necesario para vivir.

BERNARDA

A tu edad no se habla delante de las personas mayores.

MUJER 1.ª

Niña, cállate.

BERNARDA

No he dejado que nadie me dé lecciones. Sentarse. *(Se sientan. Pausa. Fuerte.)* Magdalena, no llores; si quieres llorar te metes debajo de la cama. ¿Me has oído?

MUJER 2.ª
(A BERNARDA)

¿Habéis empezado los trabajos en la era?

BERNARDA

Ayer.

MUJER 3.ª

Cae el sol como plomo.

MUJER 1.ª

Hace años no he conocido calor igual.

(Pausa. Se abanican todas.)

BERNARDA

¿Está hecha la limonada?

LA PONCIA

Sí, Bernarda. *(Sale con una gran bandeja llena de jarritas blancas, que distribuye.)*

BERNARDA

Dale a los hombres.

LA PONCIA

Ya están tomando en el patio.

BERNARDA

Que salgan por donde han entrado. No quiero que pasen por aquí.

MUCHACHA
(*A* ANGUSTIAS)

Pepe el Romano estaba con los hombres del duelo.

ANGUSTIAS

Allí estaba.

BERNARDA

Estaba su madre. Ella ha visto a su madre. A Pepe no lo ha visto ella ni yo.

MUCHACHA

Me pareció...

BERNARDA

Quien sí estaba era el viudo de Darajalí. Muy cerca de tu tía. A ése lo vimos todas.

MUJER 2.ª
(Aparte, en voz baja)

¡Mala, más que mala!

MUJER 3.ª
(Lo mismo)

¡Lengua de cuchillo!

BERNARDA

Las mujeres en la iglesia no deben de mirar más hombre que al oficiante, y ése porque tiene faldas. Volver la cabeza es buscar el calor de la pana.

MUJER 1.ª
(En voz baja)

¡Vieja lagarta recocida!

LA PONCIA
(Entre dientes)

¡Sarmentosa por calentura de varón!

BERNARDA

¡Alabado sea Dios!

TODAS
(Santiguándose)

Sea por siempre bendito y alabado.

BERNARDA

¡Descansa en paz con la santa
compaña de cabecera!

TODAS

¡Descansa en paz!

BERNARDA

Con el ángel San Miguel
y su espada justiciera.

TODAS

¡Descansa en paz!

BERNARDA

Con la llave que todo lo abre
y la mano que todo lo cierra.

TODAS

¡Descansa en paz!

BERNARDA

Con los bienaventurados
y las lucecitas del campo.

TODAS

¡Descansa en paz!

BERNARDA

Con nuestra santa caridad
y las almas de tierra y mar.

TODAS

¡Descansa en paz!

BERNARDA

Concede el reposo a tu siervo Antonio María Benavides y dale la corona de tu santa gloria.

TODAS

Amén.

BERNARDA

(Se pone en pie y canta)

«Requiem aeternam donat eis Domine.»

TODAS

(De pie y cantando al modo gregoriano)

«Et lux perpetua luceat eis.» *(Se santiguan.)*

MUJER 1.ª

Salud para rogar por su alma. *(Van desfilando.)*

MUJER 3.ª

No te faltará la hogaza de pan caliente.

MUJER 2.ª

Ni el techo para tus hijas. *(Van desfilando todas por delante de* BERNARDA *y saliendo.)*

(Sale ANGUSTIAS *por otra puerta que da al patio.)*

MUJER 4.ª

El mismo trigo de tu casamiento lo sigas disfrutando.

LA PONCIA

(Entrando con una bolsa)

De parte de los hombres esta bolsa de dineros para responsos.

BERNARDA

Dales las gracias y échales una copa de aguardiente.

MUCHACHA

(*A* MAGDALENA)

Magdalena...

BERNARDA

(A MAGDALENA, *que inicia el llanto)*

Chiss. *(Salen todas. A las que se han ido.)* ¡Andar a vuestras casas a criticar todo lo que habéis visto! ¡Ojalá tardéis muchos años en pasar el arco de mi puerta!

LA PONCIA

No tendrás queja ninguna. Ha venido todo el pueblo.

BERNARDA

Sí; para llenar mi casa con el sudor de sus refajos y el veneno de sus lenguas.

AMELIA

¡Madre, no hable usted así!

BERNARDA

Es así como se tiene que hablar en este maldito pueblo sin río, pueblo de pozos, donde siempre se bebe el agua con el miedo de que esté envenenada.

LA PONCIA

¡Cómo han puesto la solería!

BERNARDA

Igual que si hubiese pasado por ella una manada de cabras. (LA PONCIA *limpia el suelo.*) Niña, dame el abanico.

ADELA

Tome usted. *(Le da un abanico redondo con flores rojas y verdes.)*

BERNARDA

(Arrojando el abanico al suelo)

¿Es éste el abanico que se da a una viuda? Dame uno negro y aprende a respetar el luto de tu padre.

MARTIRIO

Tome usted el mío.

BERNARDA

¿Y tú?

MARTIRIO

Yo no tengo calor.

BERNARDA

Pues busca otro, que te hará falta. En ocho años que dure el luto no ha de entrar en esta casa el viento de la calle. Hacemos cuenta que hemos tapiado con ladrillos puertas y ventanas. Así pasó en casa de mi padre y en casa de mi abuelo. Mientras, podéis empezar a bordar el ajuar. En el arca tengo veinte piezas de hilo con el que podréis cortar sábanas y embozos. Magdalena puede bordarlas.

MAGDALENA

Lo mismo me da.

ADELA

(Agria)

Si no quieres bordarlas, irán sin bordados. Así las tuyas lucirán más.

MAGDALENA

Ni las mías ni las vuestras. Sé que yo no me voy a casar. Prefiero llevar sacos al molino. Todo menos estar sentada días y días dentro de esta sala oscura.

BERNARDA

Eso tiene ser mujer.

MAGDALENA

Malditas sean las mujeres.

BERNARDA

Aquí se hace lo que yo mando. Ya no puedes ir con el cuento a tu padre. Hilo y aguja para las hembras. Látigo y mula para el varón. Eso tiene la gente que nace con posibles.

(*Sale* ADELA.)

VOZ

¡Bernarda! ¡Déjame salir!

BERNARDA

(En voz alta)

¡Dejadla ya!

(Sale la CRIADA.*)*

CRIADA

Me ha costado mucho sujetarla. A pesar de sus ochenta años, tu madre es fuerte como un roble.

BERNARDA

Tiene a quién parecerse. Mi abuelo fue igual.

CRIADA

Tuve durante el duelo que taparle varias veces la boca con un costal vacío porque quería llamarte para que le dieras agua de fregar siquiera para beber, y carne de perro, que es lo que ella dice que tú le das.

MARTIRIO

¡Tiene mala intención!

BERNARDA

(A la CRIADA*)*

Dejadla que se desahogue en el patio.

CRIADA

Ha sacado del cofre sus anillos y los pendientes de amatista; se los ha puesto, y me ha dicho que se quiere casar.

(Las HIJAS *ríen.)*

BERNARDA

Ve con ella y ten cuidado que no se acerque al pozo.

CRIADA

No tengas miedo que se tire.

BERNARDA

No es por eso... Pero desde aquel sitio las vecinas pueden verla desde su ventana.

(*Sale la* CRIADA.)

MARTIRIO

Nos vamos a cambiar de ropa.

BERNARDA

Sí, pero no el pañuelo de la cabeza. (*Entra* ADELA.) ¿Y Angustias?

ADELA

(*Con intención*)

La he visto asomada a las rendijas del portón. Los hombres se acaban de ir.

BERNARDA

¿Y tú a qué fuiste también al portón?

ADELA

Me llegué a ver si habían puesto las gallinas.

BERNARDA

¡Pero el duelo de los hombres habría salido ya!

ADELA

(Con intención)

Todavía estaba un grupo parado por fuera.

BERNARDA

(Furiosa)

¡Angustias! ¡Angustias!

ANGUSTIAS

(Entrando)

¿Qué manda usted?

BERNARDA

¿Qué mirabas y a quién?

ANGUSTIAS

A nadie.

BERNARDA

¿Es decente que una mujer de tu clase vaya con el anzuelo detrás de un hombre el día de la misa de su padre? ¡Contesta! ¿A quién mirabas?

(Pausa.)

ANGUSTIAS

Yo...

BERNARDA

¡Tú!

ANGUSTIAS

¡A nadie!

BERNARDA

(Avanzando y golpeándola)

¡Suave! ¡Dulzarrona!

LA PONCIA
(Corriendo)

¡Bernarda, cálmate! *(La sujeta.)*

(ANGUSTIAS *llora.*)

BERNARDA

¡Fuera de aquí todas! *(Salen.)*

LA PONCIA

Ella lo ha hecho sin dar alcance a lo que hacía, que está francamente mal. Ya me chocó a mí verla escabullirse hacia el patio. Luego estuvo detrás de una ventana oyendo la conversación que traían los hombres, que, como siempre, no se puede oír.

BERNARDA

A eso vienen a los duelos. *(Con curiosidad.)* ¿De qué hablaban?

LA PONCIA

Hablaban de Paca la Roseta. Anoche ataron a su marido a un pesebre y a ella se la llevaron en la grupa del caballo hasta lo alto del olivar.

BERNARDA

¿Y ella?

LA PONCIA

Ella, tan conforme. Dicen que iba con los pechos fuera y Maximiliano la llevaba cogida como si tocara la guitarra. ¡Un horror!

BERNARDA

¿Y qué pasó?

LA PONCIA

Lo que tenía que pasar. Volvieron casi de día. Paca la Roseta traía el pelo suelto y una corona de flores en la cabeza.

BERNARDA

Es la única mujer mala que tenemos en el pueblo.

LA PONCIA

Porque no es de aquí. Es de muy lejos. Y los que fueron con ella son también hijos de forasteros. Los hombres de aquí no son capaces de eso.

BERNARDA

No; pero les gusta verlo y comentarlo y se chupan los dedos de que esto ocurra.

LA PONCIA

Contaban muchas cosas más.

BERNARDA

(Mirando a un lado y otro con cierto temor)

¿Cuáles?

LA PONCIA

Me da vergüenza referirlas.

BERNARDA

¿Y mi hija las oyó?

LA PONCIA

¡Claro!

BERNARDA

Ésa sale a sus tías; blancas y untuosas y que ponían los ojos de carnero al piropo de cualquier barberillo. ¡Cuánto hay que sufrir y luchar para hacer que las personas sean decentes y no tiren al monte demasiado!

LA PONCIA

¡Es que tus hijas están ya en edad de merecer! Demasiado poca guerra te dan. Angustias ya debe tener mucho más de los treinta.

BERNARDA

Treinta y nueve justos.

LA PONCIA

Figúrate. Y no ha tenido nunca novio...

BERNARDA

(Furiosa)

¡No ha tenido novio ninguna ni les hace falta! Pueden pasarse muy bien.

LA PONCIA

No he querido ofenderte.

BERNARDA

No hay en cien leguas a la redonda quien se pueda acercar a ellas. Los hombres de aquí no son de su clase. ¿Es que quieres que las entregue a cualquier gañán?

LA PONCIA

Debías haberte ido a otro pueblo.

BERNARDA

Eso. ¡A venderlas!

LA PONCIA

No, Bernarda, a cambiar... Claro que en otros sitios ellas resultan las pobres.

BERNARDA

¡Calla esa lengua atormentadora!

LA PONCIA

Contigo no se puede hablar. ¿Tenemos o no tenemos confianza?

BERNARDA

No tenemos. Me sirves y te pago. ¡Nada más!

CRIADA

(Entrando)

Ahí está don Arturo, que viene a arreglar las particiones.

BERNARDA

Vamos. (*A la* CRIADA.) Tú empieza a blanquear el patio. (*A* LA PONCIA.) Y tú ve guardando en el arca grande toda la ropa del muerto.

LA PONCIA

Algunas cosas las podíamos dar.

BERNARDA

Nada, ¡ni un botón! Ni el pañuelo con que le hemos tapado la cara. (*Sale lentamente y al salir vuelve la cabeza y mira a sus* CRIADAS.)

(*Las* CRIADAS *salen después. Entran* AMELIA *y* MARTIRIO.)

AMELIA

¿Has tomado la medicina?

MARTIRIO

¡Para lo que me va a servir!

AMELIA

Pero la has tomado.

MARTIRIO

Yo hago las cosas sin fe, pero como un reloj.

AMELIA

Desde que vino el médico nuevo estás más animada.

MARTIRIO

Yo me siento lo mismo.

AMELIA

¿Te fijaste? Adelaida no estuvo en el duelo.

MARTIRIO

Ya lo sabía. Su novio no la deja salir ni al tranco de la calle. Antes era alegre; ahora ni polvos se echa en la cara.

AMELIA

Ya no sabe una si es mejor tener novio o no.

MARTIRIO

Es lo mismo.

AMELIA

De todo tiene la culpa esta crítica que no nos deja vivir. Adelaida habrá pasado mal rato.

MARTIRIO

Le tiene miedo a nuestra madre. Es la única que conoce la historia de su padre y el origen de sus tierras. Siempre que viene le tira puñaladas en el asunto. Su padre mató en Cuba al marido de su primera mujer para casarse con ella. Luego aquí la abandonó y se fue con otra que tenía una hija y luego tuvo relaciones con esta muchacha, la madre de Adelaida, y se casó con ella después de haber muerto loca la segunda mujer.

AMELIA

Y ese infame, ¿por qué no está en la cárcel?

MARTIRIO

Porque los hombres se tapan unos a otros las cosas de esta índole y nadie es capaz de delatar.

AMELIA

Pero Adelaida no tiene culpa de esto.

MARTIRIO

No. Pero las cosas se repiten. Y veo que todo es una terrible repetición. Y ella tiene el mismo sino de su madre y de su abuela, mujeres las dos del que la engendró.

AMELIA

¡Qué cosa más grande!

MARTIRIO

Es preferible no ver a un hombre nunca. Desde niña les tuve miedo. Los veía en el corral uncir los bueyes y levantar los costales de trigo entre voces y zapatazos y siempre tuve miedo de crecer por temor de encontrarme de pronto abrazada por ellos. Dios me ha hecho débil y fea y los ha apartado definitivamente de mí.

AMELIA

¡Eso no digas! Enrique Humanas estuvo detrás de ti y le gustabas.

MARTIRIO

¡Invenciones de la gente! Una vez estuve en camisa detrás de la ventana hasta que fue de día porque me avisó con la hija de su gañán que iba a venir y no vino. Fue todo cosa de lenguas. Luego se casó con otra que tenía más que yo.

AMELIA

¡Y fea como un demonio!

MARTIRIO

¡Qué les importa a ellos la fealdad! A ellos les importa la tierra, las yuntas, y una perra sumisa que les dé de comer.

AMELIA

¡Ay! (*Entra* MAGDALENA.)

MAGDALENA

¿Qué hacéis?

MARTIRIO

Aquí.

AMELIA

¿Y tú?

MAGDALENA

Vengo de correr las cámaras. Por andar un poco. De ver los cuadros bordados de cañamazo de nuestra abuela, el perrito de lanas y el negro luchando con el león, que tanto nos gustaba de niñas. Aquélla era una época más alegre. Una boda duraba diez días y no se usaban las malas lenguas. Hoy hay más finura, las novias se ponen de velo blanco como en las poblaciones y se bebe vino de botella, pero nos pudrimos por el qué dirán.

MARTIRIO

¡Sabe Dios lo que entonces pasaría!

AMELIA
(*A* MAGDALENA)

Llevas desabrochados los cordones de un zapato.

MAGDALENA

¡Qué más da!

AMELIA

Te los vas a pisar y te vas a caer.

MAGDALENA

¡Una menos!

MARTIRIO

¿Y Adela?

MAGDALENA

¡Ah! Se ha puesto el traje verde que se hizo para estrenar el día de su cumpleaños, se ha ido al corral, y ha comenzado a voces: «¡Gallinas! ¡Gallinas, miradme!» ¡Me he tenido que reír!

AMELIA

¡Si la hubiera visto madre!

MAGDALENA

¡Pobrecilla! Es la más joven de nosotras y tiene ilusión Daría algo por verla feliz.

(Pausa. ANGUSTIAS *cruza la escena con unas toallas en la mano.)*

ANGUSTIAS

¿Qué hora es?

MAGDALENA

Ya deben ser las doce.

ANGUSTIAS

¿Tanto?

AMELIA

Estarán al caer.

(Sale ANGUSTIAS.*)*

MAGDALENA
(Con intención)

¿Sabéis ya la cosa? *(Señalando a* ANGUSTIAS.*)*

AMELIA

No.

MAGDALENA

¡Vamos!

MARTIRIO

No sé a qué cosa te refieres...

MAGDALENA

Mejor que yo lo sabéis las dos. Siempre cabeza con cabeza como dos ovejitas, pero sin desahogarse con nadie. ¡Lo de Pepe el Romano!

MARTIRIO

¡Ah!

MAGDALENA
(Remedándola)

¡Ah! Ya se comenta por el pueblo. Pepe el Romano viene a casarse con Angustias. Anoche estuvo rondando la casa y creo que pronto va a mandar un emisario.

MARTIRIO

Yo me alegro. Es buen mozo.

AMELIA

Yo también. Angustias tiene buenas condiciones.

MAGDALENA

Ninguna de las dos os alegráis.

MARTIRIO

¡Magdalena! ¡Mujer!

MAGDALENA

Si viniera por el tipo de Angustias, por Angustias como mujer, yo me alegraría; pero viene por el dinero. Aunque Angustias es nuestra hermana, aquí estamos en familia y reconocemos que está vieja, enfermiza, y que siempre ha sido la que ha tenido menos méritos de todas nosotras. Porque si con veinte años parecía un palo vestido, ¡qué será ahora que tiene cuarenta!

MARTIRIO

No hables así. La suerte viene a quien menos la aguarda.

AMELIA

¡Después de todo dice la verdad! ¡Angustias tiene todo el dinero de su padre, es la única rica de la casa y por eso ahora que nuestro padre ha muerto y ya se harán particiones viene por ella!

MAGDALENA

Pepe el Romano tiene veinticinco años y es el mejor tipo de todos estos contornos. Lo natural sería que te pretendiera a ti, Amelia, o a nuestra Adela, que tiene veinte años, pero no que venga a buscar lo más oscuro de esta casa, a una mujer que, como su padre, habla con las narices.

MARTIRIO

¡Puede que a él le guste!

MAGDALENA

¡Nunca he podido resistir tu hipocresía!

MARTIRIO

¡Dios me valga!

(*Entra* ADELA.)

MAGDALENA

¿Te han visto ya las gallinas?

ADELA

¿Y qué queríais que hiciera?

AMELIA

¡Si te ve nuestra madre te arrastra del pelo!

ADELA

Tenía mucha ilusión con el vestido. Pensaba ponérmelo el día que vamos a comer sandías a la noria. No hubiera habido otro igual.

MARTIRIO

Es un vestido precioso.

ADELA

Y que me está muy bien. Es lo mejor que ha cortado Magdalena.

MAGDALENA

¿Y las gallinas qué te han dicho?

ADELA

Regalarme unas cuantas pulgas que me han acribillado las piernas. *(Ríen.)*

MARTIRIO

Lo que puedes hacer es teñirlo de negro.

MAGDALENA

Lo mejor que puedes hacer es regalárselo a Angustias para la boda con Pepe el Romano.

ADELA

(Con emoción contenida)

Pero Pepe el Romano...

AMELIA

¿No lo has oído decir?

ADELA

No.

MAGDALENA

¡Pues ya lo sabes!

ADELA

¡Pero si no puede ser!

MAGDALENA

¡El dinero lo puede todo!

ADELA

¿Por eso ha salido detrás del duelo y estuvo mirando por el portón? *(Pausa.)* Y ese hombre es capaz de...

MAGDALENA

Es capaz de todo.

(Pausa.)

MARTIRIO

¿Qué piensas, Adela?

ADELA

Pienso que este luto me ha cogido en la peor época de mi vida para pasarlo.

MAGDALENA

Ya te acostumbrarás.

ADELA

(Rompiendo a llorar con ira)

No me acostumbraré. Yo no puedo estar encerrada. No quiero que se me pongan las carnes como a vosotras; no quiero perder mi blancura en estas habitaciones; mañana me pondré mi vestido verde y me echaré a pasear por la calle. ¡Yo quiero salir!

(Entra la CRIADA.*)*

MAGDALENA
(Autoritaria)

¡Adela!

CRIADA

¡La pobre! Cuánto ha sentido a su padre... *(Sale.)*

MARTIRIO

¡Calla!

AMELIA

Lo que sea de una será de todas.

(ADELA *se calma.*)

MAGDALENA

Ha estado a punto de oírte la criada.

(Aparece la CRIADA.)

CRIADA

Pepe el Romano viene por lo alto de la calle.

(AMELIA, MARTIRIO *y* MAGDALENA *corren presurosas.*)

MAGDALENA

¡Vamos a verlo! *(Salen rápidas.)*

CRIADA
(*A* ADELA)

¿Tú no vas?

ADELA

No me importa.

CRIADA

Como dará la vuelta a la esquina, desde la ventana de tu cuarto se verá mejor. *(Sale.)*

*(*ADELA *queda en escena dudando; después de un instante se va también rápida hasta su habitación. Salen* BERNARDA *y* LA PONCIA.*)*

BERNARDA

¡Malditas particiones!

LA PONCIA

¡Cuánto dinero le queda a Angustias!

BERNARDA

Sí.

LA PONCIA

Y a las otras, bastante menos.

BERNARDA

Ya me lo has dicho tres veces y no te he querido replicar. Bastante menos, mucho menos. No me lo recuerdes más.

(Sale ANGUSTIAS *muy compuesta de cara.)*

BERNARDA

¡Angustias!

ANGUSTIAS

Madre.

BERNARDA

¿Pero has tenido valor de echarte polvos en la cara? ¿Has tenido valor de lavarte la cara el día de la muerte de tu padre?

ANGUSTIAS

No era mi padre. El mío murió hace tiempo. ¿Es que ya no lo recuerda usted?

BERNARDA

Más debes a este hombre, padre de tus hermanas, que al tuyo. Gracias a este hombre tienes colmada tu fortuna.

ANGUSTIAS

¡Eso lo teníamos que ver!

BERNARDA

Aunque fuera por decencia. ¡Por respeto!

ANGUSTIAS

Madre, déjeme usted salir.

BERNARDA

¿Salir? Después de que te hayas quitado esos polvos de la cara. ¡Suavona! ¡Yeyo! ¡Espejo de tus tías! *(Le quita violentamente con un pañuelo los polvos.)* ¡Ahora, vete!

LA PONCIA

¡Bernarda, no seas tan inquisitiva!

BERNARDA

Aunque mi madre esté loca, yo estoy en mis cinco sentidos y sé perfectamente lo que hago.

(Entran todas.)

MAGDALENA

¿Qué pasa?

BERNARDA

No pasa nada.

MAGDALENA
(*A* ANGUSTIAS)

Si es que discuten por las particiones, tú que eres la más rica te puedes quedar con todo.

ANGUSTIAS

Guárdate la lengua en la madriguera.

BERNARDA
(Golpeando en el suelo)

No os hagáis ilusiones de que vais a poder conmigo. ¡Hasta que salga de esta casa con los pies adelante mandaré en lo mío y en lo vuestro!

(Se oyen unas voces y entra en escena MARÍA JOSEFA, *la madre de* BERNARDA, *viejísima, ataviada con flores en la cabeza y en el pecho.)*

MARÍA JOSEFA

Bernarda, ¿dónde está mi mantilla? Nada de lo que tengo quiero que sea para vosotras. Ni mis anillos ni mi traje negro de «moaré». Porque ninguna de vosotras se va a casar. ¡Ninguna! Bernarda, dame mi gargantilla de perlas.

BERNARDA

(*A la* CRIADA)

¿Por que la habéis dejado entrar?

CRIADA

(*Temblando*)

¡Se me escapó!

MARÍA JOSEFA

Me escapé porque me quiero casar, porque quiero casarme con un varón hermoso de la orilla del mar, ya que aquí los hombres huyen de las mujeres.

BERNARDA

¡Calle usted, madre!

MARÍA JOSEFA

No, no me callo. No quiero ver a estas mujeres solteras rabiando por la boda, haciéndose polvo el corazón, y yo me quiero ir a mi pueblo. Bernarda, yo quiero un varón para casarme y para tener alegría.

BERNARDA

¡Encerradla!

MARÍA JOSEFA

¡Déjame salir, Bernarda!

(*La* CRIADA *coge a* MARÍA JOSEFA.)

BERNARDA

¡Ayudarla vosotras! *(Todas arrastran a la vieja.)*

MARÍA JOSEFA

¡Quiero irme de aquí! ¡Bernarda! ¡A casarme a la orilla del mar, a la orilla del mar!

Telón rápido

ACTO SEGUNDO

Habitación blanca del interior de la casa de Bernarda. Las puertas de la izquierda dan a los dormitorios. Las HIJAS *de Bernarda están sentadas en sillas bajas cosiendo.* MAGDALENA *borda. Con ellas está* LA PONCIA

ANGUSTIAS

Ya he cortado la tercera sábana.

MARTIRIO

Le corresponde a Amelia.

MAGDALENA

Angustias. ¿Pongo también las iniciales de Pepe?

ANGUSTIAS

(Seca)

No.

MAGDALENA

(A voces)

Adela, ¿no vienes?

AMELIA

Estará echada en la cama.

LA PONCIA

Ésta tiene algo. La encuentro sin sosiego, temblona, asustada, como si tuviese una lagartija entre los pechos.

MARTIRIO

No tiene ni más ni menos que lo que tenemos todas.

MAGDALENA

Todas, menos Angustias.

ANGUSTIAS

Yo me encuentro bien, y al que le duela, que reviente.

MAGDALENA

Desde luego hay que reconocer que lo mejor que has tenido siempre es el talle y la delicadeza.

ANGUSTIAS

Afortunadamente, pronto voy a salir de este infierno.

MAGDALENA

¡A lo mejor no sales!

MARTIRIO

Dejar esa conversación.

ANGUSTIAS

Y, además, ¡más vale onza en el arca que ojos negros en la cara!

MAGDALENA

Por un oído me entra y por otro me sale.

AMELIA

(*A* LA PONCIA)

Abre la puerta del patio a ver si nos entra un poco de fresco.

(*La* CRIADA *lo hace.*)

MARTIRIO

Esta noche pasada no me podía quedar dormida por el calor.

AMELIA

Yo tampoco.

MAGDALENA

Yo me levanté a refrescarme. Había un nublo negro de tormenta y hasta cayeron algunas gotas.

LA PONCIA

Era la una de la madrugada y subía fuego de la tierra. También me levanté yo. Todavía estaba Angustias con Pepe en la ventana.

MAGDALENA

(*Con ironía*)

¿Tan tarde? ¿A qué hora se fue?

ANGUSTIAS

Magdalena, ¿a qué preguntas, si lo viste?

AMELIA

Se iría a eso de la una y media.

ANGUSTIAS

¿Sí? ¿Tú por qué lo sabes?

AMELIA

Lo sentí toser y oí los pasos de su jaca.

LA PONCIA

Pero si yo lo sentí marchar a eso de las cuatro.

ANGUSTIAS

No sería él.

LA PONCIA

Estoy segura.

AMELIA

A mí también me pareció.

MAGDALENA

¡Qué cosa más rara!

(Pausa.)

LA PONCIA

Oye, Angustias: ¿qué fue lo que te dijo la primera vez que se acercó a tu ventana?

ANGUSTIAS

Nada. ¡Qué me iba a decir! Cosas de conversación.

MARTIRIO

Verdaderamente es raro que dos personas que no se conocen se vean de pronto en una reja y ya novios.

ANGUSTIAS

Pues a mí no me chocó.

AMELIA

A mí me daría no sé qué.

ANGUSTIAS

No, porque cuando un hombre se acerca a una reja ya sabe por los que van y vienen, llevan y traen, que se le va a decir que sí.

MARTIRIO

Bueno; pero él te lo tendría que decir.

ANGUSTIAS

¡Claro!

AMELIA

(Curiosa)

¿Y cómo te lo dijo?

ANGUSTIAS

Pues nada: «Ya sabes que ando detrás de ti, necesito una mujer buena, modosa, y ésa eres tú si me das la conformidad.»

AMELIA

¡A mí me da vergüenza de estas cosas!

ANGUSTIAS

Y a mí, pero hay que pasarlas.

LA PONCIA

¿Y habló más?

ANGUSTIAS

Sí, siempre habló él.

MARTIRIO

¿Y tú?

ANGUSTIAS

Yo no hubiera podido. Casi se me salió el corazón por la boca. Era la primera vez que estaba sola de noche con un hombre.

MAGDALENA

Y un hombre tan guapo.

ANGUSTIAS

No tiene mal tipo.

LA PONCIA

Esas cosas pasan entre personas ya un poco instruidas que hablan y dicen y mueven la mano... La primera vez que mi marido Evaristo el Colín vino a mi ventana... Ja, ja, ja.

AMELIA

¿Qué pasó?

LA PONCIA

Era muy oscuro. Lo vi acercarse y al llegar me dijo: «Buenas noches.» «Buenas noches», le dije yo, y nos quedamos callados más de media hora.

Me corría el sudor por todo el cuerpo. Entonces Evaristo se acercó, se acercó que se quería meter por los hierros, y dijo con voz muy baja: «¡Ven que te tiente!» *(Ríen todas.)*

(AMELIA *se levanta corriendo y espía por una puerta.*)

AMELIA

¡Ay!, creí que llegaba nuestra madre.

MAGDALENA

¡Buenas nos hubiera puesto! *(Siguen riendo.)*

AMELIA

Chissss... ¡Que nos van a oír!

LA PONCIA

Luego se portó bien. En vez de darle por otra cosa le dio por criar colorines hasta que se murió. A vosotras que sois solteras, os conviene saber de todos modos que el hombre, a los quince días de boda, deja la cama por la mesa y luego la mesa por la tabernilla, y la que no se conforma se pudre llorando en un rincón.

AMELIA

Tú te conformaste.

LA PONCIA

¡Yo pude con él!

MARTIRIO

¿Es verdad que le pegaste algunas veces?

LA PONCIA

Sí, y por poco si le dejo tuerto.

MAGDALENA

¡Así debían ser todas las mujeres!

LA PONCIA

Yo tengo la escuela de tu madre. Un día me dijo no sé qué cosa y le maté todos los colorines con la mano del almirez. *(Ríen.)*

MAGDALENA

Adela, niña, no te pierdas esto.

AMELIA

Adela.

(Pausa.)

MAGDALENA

Voy a ver. *(Entra.)*

LA PONCIA

Esa niña está mala.

MARTIRIO

Claro, no duerme apenas.

LA PONCIA

¿Pues qué hace?

MARTIRIO

¡Yo qué sé lo que hace!

LA PONCIA

Mejor lo sabrás tú que yo, que duermes pared por medio.

ANGUSTIAS

La envidia la come.

AMELIA

No exageres.

ANGUSTIAS

Se lo noto en los ojos. Se le está poniendo mirar de loca.

MARTIRIO

No habléis de locos. Aquí es el único sitio donde no se puede pronunciar esta palabra.

(*Sale* MAGDALENA *con* ADELA.)

MAGDALENA

Pues ¿no estabas dormida?

ADELA

Tengo mal cuerpo.

MARTIRIO

(*Con intención*)

¿Es que no has dormido bien esta noche?

ADELA

Sí.

MARTIRIO

¿Entonces?

ADELA

(Fuerte)

¡Déjame ya! ¡Durmiendo o velando, no tienes por qué meterte en lo mío! ¡Yo hago con mi cuerpo lo que me parece!

MARTIRIO

¡Solo es interés por ti!

ADELA

Interés o inquisición. ¿No estabais cosiendo? Pues seguir. ¡Quisiera ser invisible, pasar por las habitaciones sin que me preguntarais dónde voy!

CRIADA

(Entra)

Bernarda os llama. Está el hombre de los encajes. *(Salen.)*

(Al salir, MARTIRIO *mira fijamente a* ADELA.)

ADELA

¡No me mires más! Si quieres te daré mis ojos, que son frescos, y mis espaldas para que te compongas la joroba que tienes, pero vuelve la cabeza cuando yo paso.

(*Se va* MARTIRIO.)

LA PONCIA

¡Que es tu hermana y además la que más te quiere!

ADELA

Me sigue a todos lados. A veces se asoma a mi cuarto para ver si duermo. No me deja respirar. Y siempre: «¡Qué lástima de cara!», «¡Qué lástima de cuerpo que no vaya a ser para nadie!» ¡Y eso no! Mi cuerpo será de quien yo quiera.

LA PONCIA

(Con intención y en voz baja)

De Pepe el Romano. ¿No es eso?

ADELA

(Sobrecogida)

¿Qué dices?

LA PONCIA

Lo que digo, Adela.

ADELA

¡Calla!

LA PONCIA

(Alto)

¿Crees que no me he fijado?

ADELA

¡Baja la voz!

LA PONCIA

¡Mata esos pensamientos!

ADELA

¿Qué sabes tú?

LA PONCIA

Las viejas vemos a través de las paredes. ¿Dónde vas de noche cuando te levantas?

ADELA

¡Ciega debías estar!

LA PONCIA

Con la cabeza y las manos llenas de ojos cuando se trata de lo que se trata. Por mucho que pienso no sé lo que te propones. ¿Por qué te pusiste casi desnuda con la luz encendida y la ventana abierta al pasar Pepe el segundo día que vino a hablar con tu hermana?

ADELA

¡Eso no es verdad!

LA PONCIA

No seas como los niños chicos. ¡Deja en paz a tu hermana, y si Pepe el Romano te gusta, te aguantas! (ADELA *llora.*) Además, ¿quién dice que no te puedes casar con él? Tu hermana Angustias es una enferma. Esa no resiste el primer parto. Es estrecha de cintura, vieja, y con mi conocimiento te digo que se morirá. Entonces Pepe hará lo que hacen todos los viudos de esta tierra: se casará con la más joven, la más hermosa, y esa serás tú. Alimenta esa esperanza, olvídalo, lo que quieras, pero no vayas contra la ley de Dios.

ADELA

¡Calla!

LA PONCIA

¡No callo!

ADELA

Métete en tus cosas, ¡oledora!, ¡pérfida!

LA PONCIA

Sombra tuya he de ser.

ADELA

En vez de limpiar la casa y acostarte para rezar a tus muertos, buscas como una vieja marrana asuntos de hombres y mujeres para babosear en ellos.

LA PONCIA

¡Velo! Para que las gentes no escupan al pasar por esta puerta.

ADELA

¡Qué cariño tan grande te ha entrado de pronto por mi hermana!

LA PONCIA

No os tengo ley a ninguna, pero quiero vivir en casa decente. ¡No quiero mancharme de vieja!

ADELA

Es inútil tu consejo. Ya es tarde. No por encima de ti, que eres una criada; por encima de mi madre saltaría para apagarme este fuego que tengo levantado por piernas y boca. ¿Qué puedes decir de mí? ¿Qué me encierro en mi cuarto y no abro la puerta? ¿Que no duermo? ¡Soy más lista que tú! Mira a ver si puedes agarrar la liebre con tus manos.

LA PONCIA

No me desafíes, Adela, no me desafíes. Porque yo puedo dar voces, encender luces y hacer que toquen las campanas.

ADELA

Trae cuatro mil bengalas amarillas y ponlas en las bardas del corral. Nadie podrá evitar que suceda lo que tiene que suceder.

LA PONCIA

¡Tanto te gusta ese hombre!

ADELA

¡Tanto! Mirando sus ojos me parece que bebo su sangre lentamente.

LA PONCIA

Yo no te puedo oír.

ADELA

¡Pues me oirás! Te he tenido miedo. ¡Pero ya soy más fuerte que tú!

(*Entra* ANGUSTIAS.)

ANGUSTIAS

¡Siempre discutiendo!

LA PONCIA

Claro. Se empeña que con el calor que hace vaya a traerle no sé qué de la tienda.

ANGUSTIAS

¿Me compraste el bote de esencia?

LA PONCIA

El más caro. Y los polvos. En la mesa de tu cuarto los he puesto.

(*Sale* ANGUSTIAS.)

ADELA

¡Y chitón!

LA PONCIA

¡Lo veremos!

(*Entran* MARTIRIO, AMELIA *y* MAGDALENA.)

MAGDALENA

(*A* ADELA)

¿Has visto los encajes?

AMELIA

Los de Angustias para sus sábanas de novia son preciosos.

ADELA

(*A* MARTIRIO, *que trae unos encajes*)

¿Y estos?

MARTIRIO

Son para mí. Para una camisa.

ADELA
(Con sarcasmo)

Se necesita buen humor.

MARTIRIO
(Con intención)

Para verlo yo. No necesito lucirme ante nadie.

LA PONCIA

Nadie le ve a una en camisa.

MARTIRIO
(Con intención y mirando a ADELA*)*

¡A veces! Pero me encanta la ropa interior. Si fuera rica la tendría de holanda. Es uno de los pocos gustos que me quedan.

LA PONCIA

Estos encajes son preciosos para las gorras de niños, para mantehuelos de cristianar. Yo nunca pude usarlos en los míos. A ver si ahora Angustias los usa en los suyos. Como le dé por tener crías, vais a estar cosiendo mañana y tarde.

MAGDALENA

Yo no pienso dar una puntada.

AMELIA

Y mucho menos criar niños ajenos. Mira tú cómo están las vecinas del callejón, sacrificadas por cuatro monigotes.

LA PONCIA

Esas están mejor que vosotras. ¡Siquiera allí se ríe y se oyen porrazos!

MARTIRIO

Pues vete a servir con ellas.

LA PONCIA

No. Ya me ha tocado en suerte este convento.

(Se oyen unos campanillos lejanos como a través de varios muros.)

MAGDALENA

Son los hombres que vuelven del trabajo.

LA PONCIA

Hace un minuto dieron las tres.

MARTIRIO

¡Con este sol!

ADELA

(Sentándose)

¡Ay, quién pudiera salir también a los campos!

MAGDALENA

(Sentándose)

¡Cada clase tiene que hacer lo suyo!

MARTIRIO

(Sentándose)

¡Así es!

AMELIA

(Sentándose)

¡Ay!

LA PONCIA

No hay alegría como la de los campos en esta época. Ayer de mañana llegaron los segadores. Cuarenta o cincuenta buenos mozos.

MAGDALENA

¿De dónde son este año?

LA PONCIA

De muy lejos. Vinieron de los montes. ¡Alegres! ¡Como árboles quemados! ¡Dando voces y arrojando piedras! Anoche llegó al pueblo una mujer vestida de lentejuelas y que bailaba con un acordeón, y quince de ellos la contrataron para llevársela al olivar. Yo los vi de lejos. El que la contrataba era un muchacho de ojos verdes, apretado como una gavilla de trigo.

AMELIA

¿Es eso cierto?

ADELA

¡Pero es posible!

LA PONCIA

Hace años vino otra de éstas y yo misma di dinero a mi hijo mayor para que fuera. Los hombres necesitan estas cosas.

ADELA

Se les perdona todo.

AMELIA

Nacer mujer es el mayor castigo.

MAGDALENA

Y ni nuestros ojos siquiera nos pertenecen.

(Se oye un cantar lejano que se va acercando.)

LA PONCIA

Son ellos. Traen unos cantos preciosos.

AMELIA

Ahora salen a segar.

CORO

Ya salen los segadores
en busca de las espigas;
se llevan los corazones
de las muchachas que miran.

(Se oyen panderos y carrañacas. Pausa. Todas oyen en un silencio traspasado por el sol.)

AMELIA

¡Y no les importa el calor!

MARTIRIO

Siegan entre llamaradas.

ADELA

Me gustaría segar para ir y venir. Así se olvida lo que nos muerde.

MARTIRIO

¿Qué tienes tú que olvidar?

ADELA

Cada una sabe sus cosas.

MARTIRIO
(Profunda)

¡Cada una!

LA PONCIA

¡Callar! ¡Callar!

CORO
(Muy lejano)

Abrir puertas y ventanas
las que vivís en el pueblo,
el segador pide rosas
para adornar su sombrero.

LA PONCIA

¡Qué canto!

MARTIRIO
(Con nostalgia)

Abrir puertas y ventanas
las que vivís en el pueblo...

ADELA

(Con pasión)

... el segador pide rosas
para adornar su sombrero.

(Se va alejando el cantar.)

LA PONCIA

Ahora dan vuelta a la esquina.

ADELA

Vamos a verlos por la ventana de mi cuarto.

LA PONCIA

Tened cuidado con no entreabrirla mucho, porque son capaces de dar un empujón para ver quién mira.

(Se van las tres. MARTIRIO *queda sentada en la silla con la cabeza entre las manos.)*

AMELIA

(Acercándose)

¿Qué te pasa?

MARTIRIO

Me sienta mal el calor.

AMELIA

¿No es más que eso?

MARTIRIO

Estoy deseando que llegue noviembre, los días de lluvias, la escarcha, todo lo que no sea este verano interminable.

AMELIA

Ya pasará y volverá otra vez.

MARTIRIO

¡Claro! *(Pausa.)* ¿A qué hora te dormiste anoche?

AMELIA

No sé. Yo duermo como un tronco. ¿Por qué?

MARTIRIO

Por nada, pero me pareció oír gente en el corral.

AMELIA

¿Sí?

MARTIRIO

Muy tarde.

AMELIA

¿Y no tuviste miedo?

MARTIRIO

No. Ya lo he oído otras noches.

AMELIA

Debiéramos tener cuidado. ¿No serían los gañanes?

MARTIRIO

Los gañanes llegan a las seis.

AMELIA

Quizá una mulilla sin desbravar.

MARTIRIO

(Entre dientes y llena de segunda intención)

Eso, ¡eso!, una mulilla sin desbravar.

AMELIA

¡Hay que prevenir!

MARTIRIO

No. No. No digas nada, puede ser un barrunto mío.

AMELIA

Quizá. *(Pausa.* AMELIA *inicia el mutis.)*

MARTIRIO

Amelia.

AMELIA

(En la puerta)

¿Qué?

(Pausa.)

MARTIRIO

Nada.

(Pausa.)

AMELIA

¿Por qué me llamaste?

(Pausa.)

MARTIRIO

Se me escapó. Fue sin darme cuenta.

(Pausa.)

AMELIA

Acuéstate un poco.

ANGUSTIAS

(Entrando furiosa en escena, de modo que haya un gran contraste con los silencios anteriores).

¿Dónde está el retrato de Pepe que tenía yo debajo de mi almohada? ¿Quién de vosotras lo tiene?

MARTIRIO

Ninguna.

AMELIA

Ni que Pepe fuera un San Bartolomé de plata.

ANGUSTIAS

¿Dónde está el retrato?

(*Entran* LA PONCIA, MAGDALENA *y* ADELA.)

ADELA

¿Qué retrato?

ANGUSTIAS

Una de vosotras me lo ha escondido.

MAGDALENA

¿Tienes la desvergüenza de decir esto?

ANGUSTIAS

Estaba en mi cuarto y ya no está.

MARTIRIO

¿Y no se habrá escapado a medianoche al corral? A Pepe le gusta andar con la luna.

ANGUSTIAS

¡No me gastes bromas! Cuando venga se lo contaré.

LA PONCIA

¡Eso no, porque aparecerá! (*Mirando a* ADELA.)

ANGUSTIAS

¡Me gustaría saber cuál de vosotras lo tiene!

ADELA
(*Mirando a* MARTIRIO)

¡Alguna! ¡Todas menos yo!

MARTIRIO
(*Con intención*)

¡Desde luego!

BERNARDA
(*Entrando*)

¡Qué escándalo es este en mi casa y en el silencio del peso del calor! Estarán las vecinas con el oído pegado a los tabiques.

ANGUSTIAS

Me han quitado el retrato de mi novio.

BERNARDA
(*Fiera*)

¿Quién? ¿Quién?

ANGUSTIAS

¡Estas!

BERNARDA

¿Cuál de vosotras? *(Silencio.)* ¡Contestarme! (*Silencio. A* PONCIA.) Registra los cuartos, mira por las camas. ¡Esto tiene no ataros más cortas! ¡Pero me vais a soñar! (*A* ANGUSTIAS.) ¿Estás segura?

ANGUSTIAS

Sí.

BERNARDA

¿Lo has buscado bien?

ANGUSTIAS

Sí, madre.

(Todas están de pie en medio de un embarazoso silencio.)

BERNARDA

Me hacéis al final de mi vida beber el veneno más amargo que una madre puede resistir. (*A* PONCIA.) ¿No lo encuentras?

LA PONCIA

(Saliendo)

Aquí está.

BERNARDA

¿Dónde lo has encontrado?

LA PONCIA

Estaba...

BERNARDA

Dilo sin temor.

LA PONCIA
(Extrañada)

Entre las sábanas de la cama de Martirio.

BERNARDA

(*A* MARTIRIO)

¿Es verdad?

MARTIRIO

¡Es verdad!

BERNARDA
(Avanzando y golpeándola)

Mala puñalada te den, ¡mosca muerta! ¡Sembradura de vidrios!

MARTIRIO
(Fiera)

¡No me pegue usted, madre!

BERNARDA

¡Todo lo que quiera!

MARTIRIO

¡Si yo la dejo! ¿Lo oye? ¡Retírese usted!

LA PONCIA

No faltes a tu madre.

ANGUSTIAS
(*Cogiendo a* BERNARDA)

Déjala. ¡Por favor!

BERNARDA

Ni lágrimas te quedan en esos ojos.

MARTIRIO

No voy a llorar para darle gusto.

BERNARDA

¿Por qué has cogido el retrato?

MARTIRIO

¿Es que yo no puedo gastar una broma a mi hermana? ¿Para qué lo iba a querer?

ADELA
(Saltando llena de celos)

No ha sido broma, que tú nunca has gustado jamás de juegos. Ha sido otra cosa que te reventaba en el pecho por querer salir. Dilo ya claramente.

MARTIRIO

¡Calla y no me hagas hablar, que si hablo se van a juntar las paredes unas con otras de vergüenza!

ADELA

¡La mala lengua no tiene fin para inventar!

BERNARDA

¡Adela!

MAGDALENA

Estáis locas.

AMELIA

Y nos apedreáis con malos pensamientos.

MARTIRIO

Otras hacen cosas más malas.

ADELA

Hasta que se pongan en cueros de una vez y se las lleve el río.

BERNARDA

¡Perversa!

ANGUSTIAS

Yo no tengo la culpa de que Pepe el Romano se haya fijado en mí.

ADELA

¡Por tus dineros!

ANGUSTIAS

¡Madre!

BERNARDA

¡Silencio!

MARTIRIO

Por tus marjales y tus arboledas.

MAGDALENA

¡Eso es lo justo!

BERNARDA

¡Silencio digo! Yo veía la tormenta venir, pero no creía que estallara tan pronto. ¡Ay, qué pedrisco de odio habéis echado sobre mi corazón! Pero todavía no soy anciana y tengo cinco cadenas para vosotras y esta casa levantada por mi padre para que ni las hierbas se enteren de mi desolación. ¡Fuera de aquí! *(Salen.* BERNARDA *se sienta desolada.* LA PONCIA *está de pie arrimada a los muros.* BERNARDA *reacciona, da un golpe en el suelo y dice:)* ¡Tendré que sentarles la mano! Bernarda: acuérdate que ésta es tu obligación.

LA PONCIA

¿Puedo hablar?

BERNARDA

Habla. Siento que hayas oído. Nunca está bien una extraña en el centro de la familia.

LA PONCIA

Lo visto, visto está.

BERNARDA

Angustias tiene que casarse en seguida.

LA PONCIA

Claro; hay que retirarla de aquí.

BERNARDA

No a ella. ¡A él!

LA PONCIA

Claro. A él hay que alejarlo de aquí. Piensas bien.

BERNARDA

No pienso. Hay cosas que no se pueden ni se deben pensar. Yo ordeno.

LA PONCIA

¿Y tú crees que él querrá marcharse?

BERNARDA
(Levantándose)

¿Qué imagina tu cabeza?

LA PONCIA

Él, ¡claro!, se casará con Angustias.

BERNARDA

Habla, te conozco demasiado para saber que ya me tienes preparada la cuchilla.

LA PONCIA

Nunca pensé que se llamara asesinato al aviso.

BERNARDA

¿Me tienes que prevenir algo?

LA PONCIA

Yo no acuso, Bernarda. Yo sólo te digo: abre los ojos y verás.

BERNARDA

¿Y verás qué?

LA PONCIA

Siempre has sido lista. Has visto lo malo de las gentes a cien leguas; muchas veces creí que adivinabas los pensamientos. Pero los hijos son los hijos. Ahora estás ciega.

BERNARDA

¿Te refieres a Martirio?

LA PONCIA

Bueno, a Martirio... *(Con curiosidad.)* ¿Por qué habrá escondido el retrato?

BERNARDA

(Queriendo ocultar a su hija)

Después de todo, ella dice que ha sido una broma. ¿Qué otra cosa puede ser?

LA PONCIA

¿Tú lo crees así? *(Con sorna.)*

BERNARDA

(Enérgica)

No lo creo. ¡Es así!

LA PONCIA

Basta. Se trata de lo tuyo. Pero si fuera la vecina de enfrente, ¿qué sería?

BERNARDA

Ya empiezas a sacar la punta del cuchillo.

LA PONCIA

(Siempre con crueldad)

Bernarda: aquí pasa una cosa muy grande. Yo no te quiero echar la culpa, pero tú no has dejado a tus hijas libres. Martirio es enamoradiza, digas lo que tú quieras. ¿Por qué no la dejaste casar con Enrique Humanas? ¿Por qué el mismo día que iba a venir a la ventana le mandaste recado que no viniera?

BERNARDA

¡Y lo haría mil veces! ¡Mi sangre no se junta con la de los Humanas mientras yo viva! Su padre fue gañán.

LA PONCIA

¡Y así te va a ti con esos humos!

BERNARDA

Los tengo porque puedo tenerlos. Y tú no los tienes porque sabes muy bien cuál es tu origen.

LA PONCIA

(Con odio)

No me lo recuerdes. Estoy ya vieja. Siempre agradecí tu protección.

BERNARDA

(Crecida)

¡No lo parece!

LA PONCIA

(Con odio envuelto en suavidad)

A Martirio se le olvidará esto.

BERNARDA

Y si no lo olvida peor para ella. No creo que ésta sea la «cosa muy grande» que aquí pasa. Aquí no pasa nada. ¡Eso quisieras tú! Y si pasa algún día, estate segura que no traspasará las paredes.

LA PONCIA

Eso no lo sé yo. En el pueblo hay gentes que leen también de lejos los pensamientos escondidos.

BERNARDA

¡Cómo gozarías de vernos a mí y a mis hijas camino del lupanar!

LA PONCIA

¡Nadie puede conocer su fin!

BERNARDA

¡Yo sí sé mi fin! ¡Y el de mis hijas! El lupanar se queda para alguna mujer ya difunta.

LA PONCIA

¡Bernarda, respeta la memoria de mi madre!

BERNARDA

¡No me persigas tú con tus malos pensamientos! *(Pausa.)*

LA PONCIA

Mejor será que no me meta en nada.

BERNARDA

Eso es lo que debías hacer. Obrar y callar a todo. Es la obligación de los que viven a sueldo.

LA PONCIA

Pero no se puede. ¿A ti no te parece que Pepe estaría mejor casado con Martirio o..., ¡sí!, con Adela?

BERNARDA

No me parece.

LA PONCIA

Adela. ¡Ésa es la verdadera novia del Romano!

BERNARDA

Las cosas no son nunca a gusto nuestro.

LA PONCIA

Pero les cuesta mucho trabajo desviarse de la verdadera inclinación. A mí me parece mal que Pepe esté con Angustias, y a las gentes, y hasta al aire. ¡Quién sabe si saldrán con la suya!

BERNARDA

¡Ya estamos otra vez!... Te deslizas para llenarme de malos sueños. Y no quiero entenderte, porque si llegara al alcance de todo lo que dices te tendría que arañar.

LA PONCIA

¡No llegará la sangre al río!

BERNARDA

Afortunadamente mis hijas me respetan y jamás torcieron mi voluntad.

LA PONCIA

¡Eso sí! Pero en cuanto las dejes sueltas se te subirán al tejado.

BERNARDA

¡Ya las bajaré tirándoles cantos!

LA PONCIA

¡Desde luego eres la más valiente!

BERNARDA

¡Siempre gasté sabrosa pimienta!

LA PONCIA

¡Pero lo que son las cosas! A su edad. ¡Hay que ver el entusiasmo de Angustias con su novio! ¡Y él también parece muy picado! Ayer me contó mi hijo mayor que a las cuatro y media de la madrugada, que pasó por la calle con la yunta, estaban hablando todavía.

BERNARDA

¡A las cuatro y media!

ANGUSTIAS
(Saliendo)

¡Mentira!

LA PONCIA

Eso me contaron.

BERNARDA
(A ANGUSTIAS)

¡Habla!

ANGUSTIAS

Pepe lleva más de una semana marchándose a la una. Que Dios me mate si miento.

MARTIRIO
(Saliendo)

Yo también lo sentí marcharse a las cuatro.

BERNARDA

Pero ¿lo viste con tus ojos?

MARTIRIO

No quise asomarme. ¿No habláis ahora por la ventana del callejón?

ANGUSTIAS

Yo hablo por la ventana de mi dormitorio.

(Aparece ADELA *en la puerta.)*

MARTIRIO

Entonces...

BERNARDA

¿Qué es lo que pasa aquí?

LA PONCIA

¡Cuida de enterarte! Pero, desde luego, Pepe estaba a las cuatro de la madrugada en una reja de tu casa.

BERNARDA

¿Lo sabes seguro?

LA PONCIA

Seguro no se sabe nada en esta vida.

ADELA

Madre, no oiga usted a quien nos quiere perder a todas.

BERNARDA

¡Yo sabré enterarme! Si las gentes del pueblo quieren levantar falsos testimonios, se encontrarán con mi pedernal. No se hable de este asunto. Hay a veces una ola de fango que levantan los demás para perdernos.

MARTIRIO

A mí no me gusta mentir.

LA PONCIA

Y algo habrá.

BERNARDA

No habrá nada. Nací para tener los ojos abiertos. Ahora vigilaré sin cerrarlos ya hasta que me muera.

ANGUSTIAS

Yo tengo derecho a enterarme.

BERNARDA

Tú no tienes derecho más que a obedecer. Nadie me traiga ni me lleve. (*A* LA PONCIA.) Y tú te metes en los asuntos de tu casa. ¡Aquí no se vuelve a dar un paso sin que yo lo sienta!

CRIADA
(Entrando)

En lo alto de la calle hay un gran gentío y todos los vecinos están en sus puertas.

BERNARDA
(*A* LA PONCIA)

¡Corre a enterarte de lo que pasa! *(Las* MUJERES *corren para salir.)* ¿Dónde vais? Siempre os supe mujeres ventaneras y rompedoras de su luto. ¡Vosotras, al patio!

(Salen y sale BERNARDA. *Se oyen rumores lejanos. Entran* MARTIRIO *y* ADELA, *que se quedan escuchando y sin atreverse a dar un paso más de la puerta de salida.)*

MARTIRIO

Agradece a la casualidad que no desaté mi lengua.

ADELA

También hubiera hablado yo.

MARTIRIO

¿Y qué ibas a decir? ¡Querer no es hacer!

ADELA

Hace la que puede y la que se adelanta. Tú querías, pero no has podido.

MARTIRIO

No seguirás mucho tiempo.

ADELA

¡Lo tendré todo!

MARTIRIO

Yo romperé tus abrazos.

ADELA
(Suplicante)

¡Martirio, déjame!

MARTIRIO

¡De ninguna!

ADELA

¡Él me quiere para su casa!

MARTIRIO

¡He visto cómo te abrazaba!

ADELA

Yo no quería. He sido como arrastrada por una maroma.

MARTIRIO

¡Primero muerta!

(Se asoman MAGDALENA *y* ANGUSTIAS. *Se siente crecer el tumulto.)*

LA PONCIA

(Entrando con BERNARDA)

¡Bernarda!

BERNARDA

¿Qué ocurre?

LA PONCIA

La hija de la Librada, la soltera, tuvo un hijo no se sabe con quién.

ADELA

¿Un hijo?

LA PONCIA

Y para ocultar su vergüenza lo mató y lo metió debajo de unas piedras, pero unos perros con más corazón que muchas criaturas lo sacaron, y como llevados por la mano de Dios lo han puesto en el tranco de su puerta. Ahora la quieren matar. La traen arrastrando por la calle abajo, y por las trochas y los terrenos del olivar vienen los hombres corriendo, dando unas voces que estremecen los campos.

BERNARDA

Sí, que vengan todos con varas de olivo y mangos de azadones, que vengan todos para matarla.

ADELA

No, no. Para matarla, no.

MARTIRIO

Sí, y vamos a salir también nosotras.

BERNARDA

Y que pague la que pisotea la decencia.

(Fuera se oye un grito de mujer y un gran rumor.)

ADELA

¡Que la dejen escapar! ¡No salgáis vosotras!

MARTIRIO

(Mirando a ADELA*)*

¡Que pague lo que debe!

BERNARDA

(Bajo el arco)

¡Acabad con ella antes que lleguen los guardias! ¡Carbón ardiendo en el sitio de su pecado!

ADELA

(Cogiéndose el vientre)

¡No! ¡No!

BERNARDA

¡Matadla! ¡Matadla!

Telón

ACTO TERCERO

Cuatro paredes blancas ligeramente azuladas del patio interior de la casa de Bernarda. Es de noche. El decorado ha de ser de una perfecta simplicidad. Las puertas iluminadas por la luz de los interiores dan un tenue fulgor a la escena

En el centro, una mesa con un quinqué, donde están comiendo BERNARDA *y sus* HIJAS. LA PONCIA *las sirve.* PRUDENCIA *está sentada aparte*

Al levantarse el telón hay un gran silencio, interrumpido por el ruido de platos y cubiertos

PRUDENCIA

Ya me voy. Os he hecho una visita larga. *(Se levanta.)*

BERNARDA

Espérate, mujer. No nos vemos nunca.

PRUDENCIA

¿Han dado el último toque para el rosario?

LA PONCIA

Todavía no. (PRUDENCIA *se sienta.)*

BERNARDA

¿Y tu marido cómo sigue?

PRUDENCIA

Igual.

BERNARDA

Tampoco lo vemos.

PRUDENCIA

Ya sabes sus costumbres. Desde que se peleó con sus hermanos por la herencia no ha salido por la puerta de la calle. Pone una escalera y salta las tapias y el corral.

BERNARDA

Es un verdadero hombre. ¿Y con tu hija?

PRUDENCIA

No la ha perdonado.

BERNARDA

Hace bien.

PRUDENCIA

No sé qué te diga. Yo sufro por esto.

BERNARDA

Una hija que desobedece deja de ser hija para convertirse en una enemiga.

PRUDENCIA

Yo dejo que el agua corra. No me queda más consuelo que refugiarme en la iglesia, pero como me estoy quedando sin vista tendré que dejar de venir para que no jueguen con una los chiquillos. *(Se oye un gran golpe dado en los muros.)* ¿Qué es eso?

BERNARDA

El caballo garañón, que está encerrado y da coces contra el muro. *(A voces.)* ¡Trabadlo y que salga al corral! *(En voz baja.)* Debe tener calor.

PRUDENCIA

¿Vais a echarle las potras nuevas?

BERNARDA

Al amanecer.

PRUDENCIA

Has sabido acrecentar tu ganado.

BERNARDA

A fuerza de dinero y sinsabores.

LA PONCIA
(Interrumpiendo)

Pero tiene la mejor manada de estos contornos. Es una lástima que esté bajo de precio.

BERNARDA

¿Quieres un poco de queso y miel?

PRUDENCIA

Estoy desganada.

(Se oye otra vez el golpe.)

LA PONCIA

¡Por Dios!

PRUDENCIA

Me ha retemblado dentro del pecho.

BERNARDA
(Levantándose furiosa)

¿Hay que decir las cosas dos veces? ¡Echadlo que se revuelque en los montones de paja! *(Pausa, y como hablando con los gañanes.)* Pues encerrad las potras en la cuadra, pero dejadlo libre, no sea que nos eche abajo las paredes. *(Se dirige a la mesa y se sienta otra vez.)* ¡Ay, qué vida!

PRUDENCIA

Bregando como un hombre.

BERNARDA

Así es. (ADELA *se levanta de la mesa.*) ¿Dónde vas?

ADELA

A beber agua.

BERNARDA
(En voz alta)

Trae un jarro de agua fresca. (*A* ADELA.) Puedes sentarte. (ADELA *se sienta.*)

PRUDENCIA

Y Angustias, ¿cuándo se casa?

BERNARDA

Vienen a pedirla dentro de tres días.

PRUDENCIA

¡Estarás contenta!

ANGUSTIAS

¡Claro!

AMELIA
(*A* MAGDALENA)

Ya has derramado la sal.

MAGDALENA

Peor suerte que tienes no vas a tener.

AMELIA

Siempre trae mala sombra.

BERNARDA

¡Vamos!

PRUDENCIA
(*A* ANGUSTIAS)

¿Te ha regalado ya el anillo?

ANGUSTIAS

Mírelo usted. *(Se lo alarga.)*

PRUDENCIA

Es precioso. Tres perlas. En mi tiempo las perlas significaban lágrimas.

ANGUSTIAS

Pero ya las cosas han cambiado.

ADELA

Yo creo que no. Las cosas significan siempre lo mismo. Los anillos de pedida deben ser de diamantes.

PRUDENCIA

Es más propio.

BERNARDA

Con perlas o sin ellas, las cosas son como uno se las propone.

MARTIRIO

O como Dios dispone.

PRUDENCIA

Los muebles me han dicho que son preciosos.

BERNARDA

Dieciséis mil reales he gastado.

LA PONCIA

(Interviniendo)

Lo mejor es el armario de luna.

PRUDENCIA

Nunca vi un muelle de éstos.

BERNARDA

Nosotras tuvimos arca.

PRUDENCIA

Lo preciso es que todo sea para bien.

ADELA

Que nunca se sabe.

BERNARDA

No hay motivo para que no lo sea.

(Se oyen lejanísimas unas campanas.)

PRUDENCIA

El último toque. (*A* ANGUSTIAS.) Ya vendré a que me enseñes la ropa.

ANGUSTIAS

Cuando usted quiera.

PRUDENCIA

Buenas noches nos dé Dios.

BERNARDA

Adiós, Prudencia.

LAS CINCO A LA VEZ

Vaya usted con Dios.

(Pausa. Sale PRUDENCIA.)

BERNARDA

Ya hemos comido. *(Se levantan.)*

ADELA

Voy a llegarme hasta el portón para estirar las piernas y tomar un poco de fresco.

(MAGDALENA *se sienta en una silla baja retrepada contra la pared.)*

AMELIA

Yo voy contigo.

MARTIRIO

Y yo.

ADELA

(Con odio contenido)

No me voy a perder.

AMELIA

La noche quiere compaña. *(Salen.)*

(BERNARDA *se sienta y* ANGUSTIAS *está arreglando la mesa.)*

BERNARDA

Ya te he dicho que quiero que hables con tu hermana Martirio. Lo que pasó del retrato fue una broma y lo debes olvidar.

ANGUSTIAS

Usted sabe que ella no me quiere.

BERNARDA

Cada uno sabe lo que piensa por dentro. Yo no me meto en los corazones, pero quiero buena fachada y armonía familiar. ¿Lo entiendes?

ANGUSTIAS

Sí.

BERNARDA

Pues ya está.

MAGDALENA
(Casi dormida)

Además, ¡si te vas a ir antes de nada! *(Se duerme.)*

ANGUSTIAS

Tarde me parece.

BERNARDA

¿A qué hora terminaste anoche de hablar?

ANGUSTIAS

A las doce y media.

BERNARDA

¿Qué cuenta Pepe?

ANGUSTIAS

Yo lo encuentro distraído. Me habla siempre como pensando en otra cosa. Si le pregunto qué le pasa, me contesta: «Los hombres tenemos nuestras preocupaciones.»

BERNARDA

No le debes preguntar. Y cuando te cases, menos. Habla si él habla y míralo cuando te mire. Así no tendrás disgustos.

ANGUSTIAS

Yo creo, madre, que él me oculta muchas cosas.

BERNARDA

No procures descubrirlas, no le preguntes y, desde luego, que no te vea llorar jamás.

ANGUSTIAS

Debía estar contenta y no lo estoy.

BERNARDA

Eso es lo mismo.

ANGUSTIAS

Muchas veces miro a Pepe con mucha fijeza y se me borra a través de los hierros, como si lo tapara una nube de polvo de las que levantan los rebaños.

BERNARDA

Eso son cosas de debilidad.

ANGUSTIAS

¡Ojalá!

BERNARDA

¿Viene esta noche?

ANGUSTIAS

No. Fue con su madre a la capital.

BERNARDA

Así nos acostaremos antes. ¡Magdalena!

ANGUSTIAS

Está dormida.

(*Entran* ADELA, MARTIRIO *y* AMELIA.)

AMELIA

¡Qué noche más oscura!

ADELA

No se ve a dos pasos de distancia.

MARTIRIO

Una buena noche para ladrones, para el que necesita escondrijo.

ADELA

El caballo garañón estaba en el centro del corral ¡blanco! Doble de grande, llenando todo lo oscuro.

AMELIA

Es verdad. Daba miedo. Parecía una aparición.

ADELA

Tiene el cielo unas estrellas como puños.

MARTIRIO

Esta se puso a mirarlas de modo que se iba a tronchar el cuello.

ADELA

¿Es que no te gustan a ti?

MARTIRIO

A mí las cosas de tejas arriba no me importan nada. Con lo que pasa dentro de las habitaciones tengo bastante.

ADELA

Así te va a ti.

BERNARDA

A ella le va en lo suyo como a ti en lo tuyo.

ANGUSTIAS

Buenas noches.

ADELA

¿Ya te acuestas?

ANGUSTIAS

Sí. Esta noche no viene Pepe. *(Sale.)*

ADELA

Madre, ¿por qué cuando se corre una estrella o luce un relámpago se dice:

> Santa Bárbara bendita,
> que en el cielo estás escrita
> con papel y agua bendita?

BERNARDA

Los antiguos sabían muchas cosas que hemos olvidado.

AMELIA

Yo cierro los ojos para no verlas.

ADELA

Yo, no. A mí me gusta ver correr lleno de lumbre lo que está quieto y quieto años enteros.

MARTIRIO

Pero estas cosas nada tienen que ver con nosotros.

BERNARDA

Y es mejor no pensar en ellas.

ADELA

¡Qué noche más hermosa! Me gustaría quedarme hasta muy tarde para disfrutar el fresco del campo.

BERNARDA

Pero hay que acostarse. ¡Magdalena!

AMELIA

Está en el primer sueño.

BERNARDA

¡Magdalena!

MAGDALENA
(Disgustada)

¡Déjame en paz!

BERNARDA

¡A la cama!

MAGDALENA
(Levantándose malhumorada)

¡No la dejáis a una tranquila! *(Se va refunfuñando.)*

AMELIA

Buenas noches. *(Se va.)*

BERNARDA

Andar vosotras también.

MARTIRIO

¿Cómo es que esta noche no viene el novio de Angustias?

BERNARDA

Fue de viaje.

MARTIRIO
(Mirando a ADELA*)*

¡Ah!

ADELA

Hasta mañana. *(Sale.)*

*(*MARTIRIO *bebe agua y sale lentamente, mirando hacia la puerta del corral.)*

LA PONCIA
(Saliendo)

¿Estás todavía aquí?

BERNARDA

Disfrutando este silencio y sin lograr ver por parte alguna «la cosa tan grande» que aquí pasa, según tú.

LA PONCIA

Bernarda, dejemos esa conversación.

BERNARDA

En esta casa no hay ni un sí ni un no. Mi vigilancia lo puede todo.

LA PONCIA

No pasa nada por fuera. Eso es verdad. Tus hijas están y viven como metidas en alacenas. Pero ni tú ni nadie puede vigilar por el interior de los pechos.

BERNARDA

Mis hijas tienen la respiración tranquila.

LA PONCIA

Eso te importa a ti, que eres su madre. A mí, con servir tu casa tengo bastante.

BERNARDA

Ahora te has vuelto callada.

LA PONCIA

Me estoy en mi sitio, y en paz.

BERNARDA

Lo que pasa es que no tienes nada que decir. Si en esta casa hubiera hierbas ya te encargarías de traer a pastar las ovejas del vecindario.

LA PONCIA

Yo tapo más de lo que te figuras.

BERNARDA

¿Sigue tu hijo viendo a Pepe a las cuatro de la mañana? ¿Siguen diciendo todavía la mala letanía de esta casa?

LA PONCIA

No dicen nada.

BERNARDA

Porque no pueden. Porque no hay carne donde morder. A la vigilancia de mis ojos se debe esto.

LA PONCIA

Bernarda, yo no quiero hablar porque temo tus intenciones. Pero no estés segura.

BERNARDA

¡Segurísima!

LA PONCIA

A lo mejor, de pronto, cae un rayo. A lo mejor, de pronto, un golpe te para el corazón.

BERNARDA

Aquí no pasa nada. Ya estoy alerta contra tus suposiciones.

LA PONCIA

Pues mejor para ti.

BERNARDA

¡No faltaba más!

CRIADA
(Entrando)

Ya terminé de fregar los platos. ¿Manda usted algo, Bernarda?

BERNARDA
(Levantándose)

Nada. Voy a descansar.

LA PONCIA

¿A qué hora quieres que te llame?

BERNARDA

A ninguna. Esta noche voy a dormir bien. *(Se va.)*

LA PONCIA

Cuando una no puede con el mar lo más fácil es volver las espaldas para no verlo.

CRIADA

Es tan orgullosa que ella misma se pone una venda en los ojos.

LA PONCIA

Yo no puedo hacer nada. Quise atajar las cosas, pero ya me asustan demasiado. ¿Tú ves este silencio? Pues hay una tormenta en cada cuarto. El día que estallen nos barrerán a todos. Yo he dicho lo que tenía que decir.

CRIADA

Bernarda cree que nadie puede con ella y no sabe la fuerza que tiene un hombre entre mujeres solas.

LA PONCIA

No es toda la culpa de Pepe el Romano. Es verdad que el año pasado anduvo detrás de Adela y ésta estaba loca por él, pero ella debió estarse en su sitio y no provocarlo. Un hombre es un hombre.

CRIADA

Hay quien cree que habló muchas veces con Adela.

LA PONCIA

Es verdad. *(En voz baja.)* Y otras cosas.

CRIADA

No sé lo que va a pasar aquí.

LA PONCIA

A mí me gustaría cruzar el mar y dejar esta casa de guerra.

CRIADA

Bernarda está aligerando la boda y es posible que nada pase.

LA PONCIA

Las cosas se han puesto ya demasiado maduras. Adela está decidida a lo que sea y las demás vigilan sin descanso.

CRIADA

¿Y Martirio también?

LA PONCIA

Ésa es la peor. Es un pozo de veneno. Ve que el Romano no es para ella y hundiría el mundo si estuviera en su mano.

CRIADA

¡Es que son malas!

LA PONCIA

Son mujeres sin hombre, nada más. En estas cuestiones se olvida hasta la sangre. ¡Chisss! *(Escucha.)*

CRIADA

¿Qué pasa?

LA PONCIA

(Se levanta)

Están ladrando los perros.

CRIADA

Debe haber pasado alguien por el portón.

(Sale ADELA *en enaguas blancas y corpiño.)*

LA PONCIA

¿No te habías acostado?

ADELA

Voy a beber agua. *(Bebe en un vaso de la mesa.)*

LA PONCIA

Yo te suponía dormida.

ADELA

Me despertó la sed. Y vosotras, ¿no descansáis?

CRIADA

Ahora.

(Sale ADELA.)

LA PONCIA

Vámonos.

CRIADA

Ganado tenemos el sueño. Bernarda no me deja descansar en todo el día.

LA PONCIA

Llévate la luz.

CRIADA

Los perros están como locos.

LA PONCIA

No nos van a dejar dormir. *(Salen.)*

(La escena queda casi a oscuras. Sale MARÍA JOSEFA *con una oveja en los brazos.)*

MARÍA JOSEFA

Ovejita, niño mío,
vámonos a la orilla del mar.

La hormiguita estará en su puerta,
yo te daré la teta y el pan.

Bernarda,
cara de leoparda.
Magdalena,
cara de hiena.
¡Ovejita!
Meee, meeee.
Vamos a los ramos del portal de Belén.

Ni tú ni yo queremos dormir;
la puerta sola se abrirá
y en la playa nos meteremos
en una choza de coral.

Bernarda,
cara de leoparda.
Magdalena,
cara de hiena.
¡Ovejita!
Meee, meeee.
Vamos a los ramos del portal de Belén. *(Se va cantando.)*

(*Entra* ADELA. *Mira a un lado y otro con sigilo y desaparece por la puerta del corral. Sale* MARTIRIO *por otra puerta y queda en angustioso acecho en el centro de la escena. También va en enaguas. Se cubre con un pequeño mantón negro de talle. Sale por enfrente de ella* MARÍA JOSEFA.)

MARTIRIO

Abuela, ¿dónde va usted?

MARÍA JOSEFA

¿Vas a abrirme la puerta? ¿Quién eres tú?

MARTIRIO

¿Cómo está aquí?

MARÍA JOSEFA

Me escapé. ¿Tú quién eres?

MARTIRIO

Vaya a acostarse.

MARÍA JOSEFA

Tú eres Martirio, ya te veo. Martirio, cara de Martirio. ¿Y cuándo vas a tener un niño? Yo he tenido este.

MARTIRIO

¿Dónde cogió esa oveja?

MARÍA JOSEFA

Ya sé que es una oveja. Pero ¿por qué una oveja no va a ser un niño? Mejor es tener una oveja que no tener nada. Bernarda, cara de leoparda. Magdalena, cara de hiena.

MARTIRIO

No dé voces.

MARÍA JOSEFA

Es verdad. Está todo muy oscuro. Como tengo el pelo blanco crees que no puedo tener crías, y sí, crías y crías y crías. Este niño tendrá el pelo blanco y tendrá otro niño y éste otro, y todos con el pelo de nieve. seremos como las olas, una y otra y otra. Luego nos sentaremos todos y todos tendremos el cabello blanco y seremos espuma. ¿Por qué aquí no hay espumas? Aquí no hay más que mantos de luto.

MARTIRIO

Calle, calle.

MARÍA JOSEFA

Cuando mi vecina tenía un niño yo le llevaba chocolate y luego ella me lo traía a mí y así siempre, siempre, siempre. Tú tendrás el pelo blanco, pero no vendrán las vecinas. Yo tengo que marcharme, pero tengo miedo que los perros me muerdan. ¿Me acompañarás tú a salir al campo? Yo quiero campo. Yo quiero casas, pero casas abiertas y las vecinas acostadas en sus camas con sus niños chiquitos y los hombres fuera sentados en sus sillas. Pepe el Romano es un gigante. Todas lo queréis. Pero él os va a devorar porque vosotras sois granos de trigo. No granos de trigo. ¡Ranas sin lengua!

MARTIRIO

Vamos. Váyase a la cama. *(La empuja.)*

MARÍA JOSEFA

Sí, pero luego tú me abrirás, ¿verdad?

MARTIRIO

De seguro.

MARÍA JOSEFA

(Llorando)

Ovejita, niño mío,
vámonos a la orilla del mar.
La hormiguita estará en su puerta,
yo te daré la teta y el pan.

(MARTIRIO cierra la puerta por donde ha salido MARÍA JOSEFA y se dirige a la puerta del corral. Allí vacila, pero avanza dos pasos más.)

MARTIRIO

(En voz baja)

Adela. *(Pausa. Avanza hasta la misma puerta. En voz alta.)* ¡Adela!

(Aparece ADELA. Viene un poco despeinada.)

ADELA

¿Por qué me buscas?

MARTIRIO

¡Deja a ese hombre!

ADELA

¿Quién eres tú para decírmelo?

MARTIRIO

No es ese el sitio de una mujer honrada.

ADELA

¡Con qué ganas te has quedado de ocuparlo!

MARTIRIO

(En voz alta)

Ha llegado el momento de que yo hable. Esto no puede seguir así.

ADELA

Esto no es más que el comienzo. He tenido fuerza para adelantarme. El brío y el mérito que tú no tienes. He visto la muerte debajo de estos techos y he salido a buscar lo que era mío, lo que me pertenecía.

MARTIRIO

Ese hombre sin alma vino por otra. Tú te has atravesado.

ADELA

Vino por el dinero, pero sus ojos los puso siempre en mí.

MARTIRIO

Yo no permitiré que lo arrebates. Él se casará con Angustias.

ADELA

Sabes mejor que yo que no la quiere.

MARTIRIO

Lo sé.

ADELA

Sabes, porque lo has visto, que me quiere a mí.

MARTIRIO

(Despechada)

Sí.

ADELA
(Acercándose)

Me quiere a mí. Me quiere a mí.

MARTIRIO

Clávame un cuchillo si es tu gusto, pero no me lo digas más.

ADELA

Por eso procuras que no vaya con él. No te importa que abrace a la que no quiere; a mí, tampoco. Ya puede estar cien años con Angustias, pero que me abrace a mí se te hace terrible, porque tú lo quieres también, lo quieres.

MARTIRIO
(Dramática)

¡Sí! Déjame decirlo con la cabeza fuera de los embozos. ¡Sí! Déjame que el pecho se me rompa como una granada de amargura. ¡Le quiero!

ADELA
(En un arranque y abrazándola)

Martirio, Martirio, yo no tengo la culpa.

MARTIRIO

¡No me abraces! No quieras ablandar mis ojos. Mi sangre ya no es la tuya. Aunque quisiera verte como hermana, no te miro ya más que como mujer. *(La rechaza.)*

ADELA

Aquí no hay ningún remedio. La que tenga que ahogarse que se ahogue. Pepe el Romano es mío. Él me lleva a los juncos de la orilla.

MARTIRIO

¡No será!

ADELA

Ya no aguanto el horror de estos techos después de haber probado el sabor de su boca. Seré lo que él quiera que sea. Todo el pueblo contra mí, quemándome con sus dedos de lumbre, perseguida por los que dicen que son decentes, y me pondré la corona de espinas que tienen las que son queridas de algún hombre casado.

MARTIRIO

¡Calla!

ADELA

Sí. Sí. *(En voz baja.)* Vamos a dormir, vamos a dejar que se case con Angustias, ya no me importa, pero yo me iré a una casita sola donde él me verá cuando quiera, cuando le venga en gana.

MARTIRIO

Eso no pasará mientras yo tenga una gota de sangre en el cuerpo.

ADELA

No a ti, que eres débil; a un caballo encabritado soy capaz de poner de rodillas con la fuerza de mi dedo meñique.

MARTIRIO

No levantes esa voz que me irrita. Tengo el corazón lleno de una fuerza tan mala, que, sin quererlo yo, a mí misma me ahoga.

ADELA

Nos enseñan a querer a las hermanas. Dios me ha debido dejar sola en medio de la oscuridad, porque te veo como si no te hubiera visto nunca.

(Se oye un silbido y ADELA *corre a la puerta, pero* MARTIRIO *se le pone delante.)*

MARTIRIO

¿Dónde vas?

ADELA

¡Quítate de la puerta!

MARTIRIO

¡Pasa si puedes!

ADELA

¡Aparta! *(Lucha.)*

MARTIRIO

(A voces)

¡Madre, madre!

(Aparece BERNARDA. *Sale en enaguas, con un mantón negro.)*

BERNARDA

Quietas, quietas. ¡Qué pobreza la mía, no poder tener un rayo entre los dedos!

MARTIRIO

(Señalando a ADELA*)*

¡Estaba con él! ¡Mira esas enaguas llenas de paja de trigo!

BERNARDA

¡Ésa es la cama de las mal nacidas! *(Se dirige furiosa hacia* ADELA.*)*

ADELA

(Haciéndole frente)

¡Aquí se acabaron las voces de presidio! (ADELA *arrebata un bastón a su madre y lo parte en dos.*) Esto hago yo con la vara de la dominadora. No dé un paso más. En mí no manda nadie más que Pepe.

MAGDALENA

(Saliendo)

¡Adela!

(Salen LA PONCIA *y* ANGUSTIAS.*)*

ADELA

Yo soy su mujer. (*A* ANGUSTIAS.) Entérate tú y ve al corral a decírselo. Él dominará toda esta casa. Ahí fuera está, respirando como si fuera un león.

ANGUSTIAS

¡Dios mío!

BERNARDA

¡La escopeta! ¿Dónde está la escopeta? *(Sale corriendo.)*

(Sale detrás MARTIRIO. *Aparece* AMELIA *por el fondo, que mira aterrada con la cabeza sobre la pared.)*

ADELA

¡Nadie podrá conmigo! *(Va a salir.)*

ANGUSTIAS
(Sujetándola)

De aquí no sales tú con tu cuerpo en triunfo. ¡Ladrona! ¡Deshonra de nuestra casa!

MAGDALENA

¡Déjala que se vaya donde no la veamos nunca más!

(Suena un disparo.)

BERNARDA
(Entrando)

Atrévete a buscarlo ahora.

MARTIRIO
(Entrando)

Se acabó Pepe el Romano.

ADELA

¡Pepe! ¡Dios mío! ¡Pepe! *(Sale corriendo.)*

LA PONCIA

¿Pero lo habéis matado?

MARTIRIO

No. Salió corriendo en su jaca.

BERNARDA

No fue culpa mía. Una mujer no sabe apuntar.

MAGDALENA

¿Por qué lo has dicho entonces?

MARTIRIO

¡Por ella! Hubiera volcado un río de sangre sobre su cabeza.

LA PONCIA

Maldita.

MAGDALENA

¡Endemoniada!

BERNARDA

Aunque es mejor así. *(Suena un golpe.)* ¡Adela, Adela!

LA PONCIA

(En la puerta)

¡Abre!

BERNARDA

Abre. No creas que los muros defienden de la vergüenza.

CRIADA

(Entrando)

¡Se han levantado los vecinos!

BERNARDA

(En voz baja como un rugido)

¡Abre, porque echaré abajo la puerta! *(Pausa. Todo queda en silencio.)* ¡Adela! *(Se retira de la puerta.)* ¡Trae un martillo! (LA PONCIA *da un empujón y entra. Al entrar da un grito y sale.*) ¿Qué?

LA PONCIA

(Se lleva las manos al cuello)

¡Nunca tengamos ese fin!

(Las HERMANAS *se echan hacia atrás. La* CRIADA *se santigua.* BERNARDA *da un grito y avanza.)*

LA PONCIA

¡No entres!

BERNARDA

No. ¡Yo no! Pepe, tú irás corriendo vivo por lo oscuro de las alamedas, pero otro día caerás. ¡Descolgarla! ¡Mi hija ha muerto virgen! Llevadla a su cuarto y vestirla como una doncella. ¡Nadie diga nada! Ella ha muerto virgen. Avisad que al amanecer den dos clamores las campanas.

MARTIRIO

Dichosa ella mil veces que lo pudo tener.

BERNARDA

Y no quiero llantos. La muerte hay que mirarla cara a cara. ¡Silencio! (*A otra* HIJA.) ¡A callar he dicho! (*A otra* HIJA.) ¡Las lágrimas cuando estés sola! Nos hundiremos todas en un mar de luto. Ella, la hija menor de Bernarda Alba, ha muerto virgen. ¿Me habéis oído? ¡Silencio, silencio he dicho! ¡Silencio!

Telón

(Día viernes 19 de junio de 1936)

FIN DE «LA CASA DE BERNARDA ALBA»

LA ZAPATERA PRODIGIOSA

FARSA VIOLENTA EN DOS ACTOS Y UN PRÓLOGO

(1930)

PERSONAJES

Zapatera.
Vecina Roja.
Vecina Morada.
Vecina Negra.
Vecina Verde.
Vecina Amarilla.
Beata 1.ª
Beata 2.ª
Sacristana.
El Autor.
Zapatero.
El Niño.
Don Mirlo.
Mozo de la faja.
Mozo del sombrero.

Vecinas, Beatas, Curas y Pueblo

PRÓLOGO

Cortina gris. Aparece el AUTOR. *Sale rápidamente. Lleva una carta en la mano*

EL AUTOR

Respetable público... *(Pausa.)* No; respetable público, no; público solamente, y no es que el autor no considere al público respetable, todo lo contrario, sino que detrás de esta palabra hay como un delicado temblor de miedo y una especie de súplica para que el auditorio sea generoso con la mímica de los actores y el artificio del ingenio. El poeta no pide benevolencia, sino atención, una vez que ha saltado hace mucho tiempo la barra espinosa de miedo que los autores tienen a la sala. Por este miedo absurdo, y por ser el teatro en muchas ocasiones una finanza, la poesía se retira de la escena en busca de otros ambientes donde la gente no se asuste de que un árbol, por ejemplo, se convierta en una bola de humo o de que tres peces, por amor de una mano y una palabra, se conviertan en tres millones de peces para calmar el hambre de una multitud. El autor ha preferido poner el ejemplo dramático en el vivo ritmo de una zapaterita popular. En todos los sitios late y anima la criatura poética que el autor ha vestido de zapatera con aire de refrán o simple romancillo, y no se extrañe el público si aparece violenta o toma actitudes agrias, porque ella lucha siempre, lucha con la realidad que la cerca y lucha con la fantasía cuando ésta se hace realidad visible. (*Se oyen voces de la* ZAPATERA: «¡Quiero salir! ¡Ya voy!») No tengas tanta impaciencia en salir; no es un traje de larga cola y plumas inverosímiles el que sacas, sino un traje roto, ¿lo oyes?, un traje de zapatera. (*Voz de la* ZAPATERA, *dentro:* «¡Quiero salir!») ¡Silencio! *(Se descorre la cortina y aparece el decorado con tenue luz.)* También amanece así todos los días sobre las ciudades, y el público olvida su medio mundo de sueño para entrar en los mercados como tú en tu casa, en la escena, zapaterilla prodigiosa. *(Va creciendo la luz.)* A empezar, tú llegas de la calle. *(Se oyen las voces que pelean. Al público.)* Buenas noches. *(Se quita el sombrero de copa, y éste se ilumina por dentro con una luz verde; el autor lo inclina y sale de él un chorro de agua. El autor mira un poco cohibido al público y se retira de espaldas, lleno de ironía.)* Ustedes perdonen. *(Sale.)*

ACTO PRIMERO

Casa del Zapatero. Banquillo y herramientas. Habitación completamente blanca. Gran ventana y puerta. El foro es una calle también blanca, con algunas puertecitas y ventanas en gris. A la derecha e izquierda, puertas. Toda la escena tendrá un aire de optimismo y alegría, exaltada en los más pequeños detalles

Una suave luz naranja de media tarde invade la escena

Al levantarse el telón, la ZAPATERA *viene de la calle toda furiosa y se detiene en la puerta. Viste un traje verde rabioso y lleva el pelo tirante, adornado con dos grandes rosas. Tiene un aire agreste y dulce al mismo tiempo*

ZAPATERA

Cállate, larga de lengua, penacho de catalineta, que si yo lo he hecho..., si yo lo he hecho, ha sido por mi propio gusto... Si no te metes dentro de tu casa te hubiera arrastrado, víborilla empolvada; y esto lo digo para que me oigan todas las que están detrás de las ventanas. Que más vale estar casada con un viejo que con un tuerto, como tú estás. Y no quiero más conversación, ni contigo ni con nadie, ni con nadie, ni con nadie. *(Entra dando un fuerte portazo.)* Ya sabía yo que con esta clase de gente no se podía hablar ni un segundo...; pero la culpa la tengo yo, yo y yo..., que debía estar en mi casa con..., casi no quiero creerlo, con mi marido. Quién me hubiera dicho a mí, rubia con los ojos negros, que hay que ver el mérito que esto tiene, con este talle y estos colores tan hermosísimos, que me iba a ver casada con..., me tiraría del pelo. *(Llora. Llaman a la puerta.)* ¿Quién es? *(No responden y llaman otra vez.)* ¿Quién es? *(Enfurecida.)*

NIÑO
(Temerosamente)

Gente de paz.

ZAPATERA
(Abriendo)

¿Eres tú? *(Melosa y conmovida.)*

NIÑO

Sí, señora Zapaterita. ¿Estaba usted llorando?

ZAPATERA

No, es que un mosco de esos que hacen piiiiii, me ha picado en este ojo.

NIÑO

¿Quiere usted que le sople?

ZAPATERA

No, hijo mío, ya se me ha pasado... *(Le acaricia.)* ¿Y qué es lo que quieres?

NIÑO

Vengo con estos zapatos de charol, costaron cinco duros, para que los arregle su marido. Son de mi hermana la grande, la que tiene el cutis fino y se pone dos lazos, que tiene dos, un día uno y otro día otro, en la cintura.

ZAPATERA

Déjalos ahí, ya los arreglarán.

NIÑO

Dice mi madre que tenga cuidado de no darles muchos martillazos, porque el charol es muy delicado, para que no se estropee el charol.

ZAPATERA

Dile a tu madre que ya sabe mi marido lo que tiene que hacer, y que así supiera ella aliñar con laurel y pimienta un buen guiso como mi marido componer zapatos.

NIÑO

(Haciendo pucheros)

No se disguste usted conmigo, que yo no tengo la culpa y todos los días estudio muy bien la gramática.

ZAPATERA

(Dulce)

¡Hijo mío! ¡Prenda mía! ¡Si contigo no es nada! *(Lo besa.)* Toma este muñequito. ¿Te gusta? Pues llévatelo.

NIÑO

Me lo llevaré, porque como yo sé que usted no tendrá nunca niños...

ZAPATERA

¿Quién te dijo eso?

NIÑO

Mi madre lo ha hablado el otro día, diciendo: «La zapatera no tendrá hijos», y se reían mis hermanas y la comadre Rafaela.

ZAPATERA

(Nerviosamente)

¿Hijos? Puede que los tenga más hermosos que todas ellas y con más arranque y más honra, porque tu madre..., es menester que sepas...

NIÑO

Tome usted el muñequito, ¡no lo quiero!

ZAPATERA

(Reaccionando)

No, no, guárdalo, hijo mío... ¡Si contigo no es nada!

(Aparece por la izquierda el ZAPATERO. *Viste traje de terciopelo con botones de plata, pantalón corto y corbata roja. Se dirige al banquillo.)*

ZAPATERA

¡Válgate Dios!

NIÑO
(Asustado)

¡Ustedes se conserven bien! ¡Hasta la vista! ¡Que sea enhorabuena! ¡Deo gratias! *(Sale corriendo por la calle.)*

ZAPATERA

Adiós, hijito. Si hubiera reventado antes de nacer, no estaría pasando estos trabajos y estas tribulaciones. ¡Ay dinero, dinero!, sin manos y sin ojos debería haberse quedado el que te inventó.

ZAPATERO
(En el banquillo)

Mujer, ¿qué estás diciendo?

ZAPATERA

¡Lo que a ti no te importa!

ZAPATERO

A mí no me importa nada de nada. Ya sé que tengo que aguantarme.

ZAPATERA

También me aguanto yo..., piensa que tengo dieciocho años.

ZAPATERO

Y yo... cincuenta y tres. Por eso me callo y no me disgusto contigo... ¡Demasiado sé yo!... Trabajo para ti... y sea lo que Dios quiera...

ZAPATERA

(Está de espaldas a su marido y se vuelve y avanza tierna y conmovida)

Eso no, hijo mío..., ¡no digas...!

ZAPATERO

Pero, ¡ay!, si tuviera cuarenta años o cuarenta y cinco, siquiera... *(Golpea furiosamente un zapato con el martillo.)*

ZAPATERA

(Enardecida)

Entonces yo sería tu criada, ¿no es esto? Si una no puede ser buena... ¿Y yo?, ¿es que no valgo nada?

ZAPATERO

Mujer..., repórtate.

ZAPATERA

¿Es que mi frescura y mi cara no valen todos los dineros de este mundo?

ZAPATERO

Mujer..., ¡que te van a oír los vecinos!

ZAPATERA

Maldita hora, maldita hora en que le hice caso a mi compadre Manuel.

ZAPATERO

¿Quieres que te eche un refresquito de limón?

ZAPATERA

¡Ay, tonta, tonta, tonta! *(Se golpea la frente.)* Con tan buenos pretendientes como yo he tenido

ZAPATERO

(Queriendo suavizar)

Eso dice la gente.

ZAPATERA

¿La gente? Por todas partes se sabe. Lo mejor de estas vegas. Pero el que más me gustaba a mí de todos era Emiliano..., tú lo conociste... Emiliano, que venía montado en una jaca negra, llena de borlas y espejitos, con una varilla de mimbre en su mano y las espuelas de cobre reluciente. ¡Y qué capa traía por el invierno! ¡Qué vueltas de pana azul y qué agremanes de seda!

ZAPATERO

Así tuve yo una también..., son unas capas preciosísimas.

ZAPATERA

¿Tú? ¡Tú qué ibas a tener!... Pero ¿por qué te haces ilusiones? Un zapatero no se ha puesto en su vida una prenda de esa clase...

ZAPATERO

Pero, mujer, ¿no estás viendo...?

ZAPATERA

(Interrumpiéndole)

También tuve otro pretendiente... *(El* ZAPATERO *golpea fuertemente el zapato.)* Aquél era medio señorito..., tendría dieciocho años, ¡se dice muy pronto! ¡Dieciocho años!

(El ZAPATERO *se revuelve inquieto.)*

ZAPATERO

También los tuve yo.

ZAPATERA

Tú no has tenido en tu vida dieciocho años... Aquél sí que los tenía, y me decía unas cosas... Verás...

ZAPATERO

(Golpeando furiosamente)

¿Te quieres callar? Eres mi mujer, quieras o no quieras, y yo soy tu esposo. Estabas pereciendo, sin camisa ni hogar. ¿Por qué me has querido? ¡Fantasiosa, fantasiosa, fantasiosa!

ZAPATERA

(Levantándose)

¡Cállate! No me hagas hablar más de lo prudente y ponte a tu obligación. ¡Parece mentira! *(Dos* VECINAS *con mantilla cruzan la ventana sonriendo.)* ¿Quién me lo iba a decir, viejo pellejo, que me ibas a dar tal pago? ¡Pégame, si te parece; anda, tírame el martillo!

ZAPATERO

Ay, mujer..., no me des escándalos, ¡mira que viene la gente! ¡Ay Dios mío!

(Las dos VECINAS *vuelven a cruzar.)*

ZAPATERA

Yo me he rebajado. ¡Tonta, tonta, tonta! Maldito sea mi compadre Manuel, malditos sean los vecinos, tonta, tonta, tonta. *(Sale golpeándose la cabeza.)*

ZAPATERO

(Mirándose en un espejo y contándose las arrugas)

Una, dos, tres, cuatro... y mil. *(Guarda el espejo.)* Pero me está muy bien empleado, sí, señor. Porque vamos a ver: ¿por qué me habré casado? Yo debía haber comprendido, después de leer tantas novelas, que las mujeres les gustan a todos los hombres, pero todos los hombres no les gustan a todas las mujeres. ¡Con lo bien que yo estaba! ¡Mi hermana, mi hermana tiene la culpa, mi hermana que se empeñó: «Que si te vas a quedar solo», que si qué sé yo! Y esto es mi ruina. ¡Mal rayo parta a mi hermana, que en paz descanse! *(Fuera se oyen voces.)* ¿Qué será?

VECINA ROJA

(En la ventana y con gran brío. La acompañan sus hijas, vestidas del mismo color)

Buenas tardes.

ZAPATERO

(Rascándose la cabeza)

Buenas tardes.

VECINA

Dile a tu mujer que salga. Niñas, ¿queréis no llorar más? ¡Que salga, a ver si por delante de mí casca tanto como por detrás!

ZAPATERO

¡Ay vecina de mi alma, no me dé usted escándalos, por los clavitos de Nuestro Señor! ¿Qué quiere usted que yo le haga? Pero comprenda mi situación: toda la vida temiendo casarme..., porque casarse es una cosa muy seria, y, a última hora, ya lo está usted viendo.

VECINA

¡Qué lástima de hombre! ¡Cuánto mejor le hubiera ido a usted casado con gente de su clase!..., estas niñas, pongo por caso, u otras del pueblo.

ZAPATERO

Y mi casa no es casa. ¡Es un guirigay!

VECINA

¡Se arranca el alma! Tan buenísima sombra como ha tenido usted toda su vida.

ZAPATERO

(Mira por si viene su mujer)

Anteayer... depedazó el jamón que teníamos guardado para estas Pascuas y nos lo comimos entero. Ayer estuvimos todo el día con unas sopas de huevo y perejil; bueno, pues porque protesté de esto, me hizo beber tres vasos seguidos de leche sin hervir.

VECINA

¡Qué fiera!

ZAPATERO

Así es, vecinita de mi corazón, que le agradecería en el alma que se retirase.

VECINA

¡Ay, si viviera su hermana! Aquélla sí que era...

ZAPATERO

Ya ves..., y de camino llévate tus zapatos, que están arreglados.

(Por la puerta de la izquierda asoma la ZAPATERA, *que detrás de la cortina espía la escena sin ser vista.)*

VECINA

(Mimosa)

¿Cuánto me vas a llevar por ellos?... Los tiempos van cada vez peor...

ZAPATERO

Lo que tú quieras... Ni que tire por allí ni que tire por aquí...

VECINA

(Dando con el codo a sus hijas)

¿Están bien en dos pesetas?

ZAPATERO

¡Tú dirás!

VECINA

Vaya..., te daré una...

ZAPATERA

(Saliendo furiosa)

¡Ladrona! *(Las mujeres chillan y se asustan.)* ¿Tienes valor de robar a este hombre de esa manera? *(A su marido.)* Y tú, ¿dejarte robar? Vengan los zapatos. Mientras no des por ellos diez pesetas, aquí se quedan.

VECINA

¡Lagarta, lagarta!

ZAPATERA

¡Mucho cuidado con lo que estás diciendo!

NIÑAS

¡Ay, vámonos, vámonos, por Dios!

VECINA

Bien despachado vas de mujer, ¡que te aproveche!

(Se van rápidamente. El ZAPATERO *cierra la ventana y la puerta.)*

ZAPATERO

Escúchame un momento...

ZAPATERA

(Recordando)

Lagarta..., lagarta..., qué, qué, qué... ¿qué me vas a decir?

ZAPATERO

Mira, hija mía. Toda mi vida ha sido en mí una verdadera preocupación evitar el escándalo. *(El* ZAPATERO *traga constantemente saliva.)*

ZAPATERA

¿Pero tienes el valor de llamarme escandalosa, cuando he salido a defender tu dinero?

ZAPATERO

Yo no te digo más que he huido de los escándalos, como las salamanquesas del agua fría.

ZAPATERA

(Rápido)

¡Salamanquesas! ¡Ay, qué asco!

ZAPATERO

(Armado de paciencia)

Me han provocado, me han, a veces, hasta insultado, y no teniendo ni tanto así de cobarde he quedado sin alma en mi almario, por el miedo de verme rodeado de gentes y llevado y traído por comadres y desocupados. De modo que ya lo sabes. ¿He hablado bien? Ésta es mi última palabra.

ZAPATERA

Pero vamos a ver: ¿a mí qué me importa todo esto? Me casé contigo, ¿no tienes la casa limpia? ¿No comes? ¿No te pones cuellos y puños que en tu vida te los habías puesto? ¿No llevas tu reloj, tan hermoso, con cadena de plata y venturinas, al que le doy cuerda todas las noches? ¿Qué más quieres? Porque, yo, todo menos esclava. Quiero hacer siempre mi santa voluntad.

ZAPATERO

No me digas... Tres meses llevamos de casados, yo, queriéndote..., y tú, poniéndome verde. ¿No ves que ya no estoy para bromas?

ZAPATERA

(Seria y como soñando)

Queriéndome, queriéndome... Pero *(Brusca.)* ¿qué es eso de queriéndome? ¿Qué es queriéndome?

ZAPATERO

Tú te creerás que yo no tengo vista, y tengo. Sé lo que haces y lo que no haces, y ya estoy colmado, ¡hasta aquí!

ZAPATERA

(Fiera)

Pues lo mismo se me da a mí que estés colmado como que no estés, porque tú me importas tres pitos, ¡ya lo sabes! *(Llora.)*

ZAPATERO

¿No puedes hablarme un poquito más bajo?

ZAPATERA

Merecías, por tonto, que colmara la calle a gritos.

ZAPATERO

Afortunadamente creo que esto se acabará pronto; porque yo no sé cómo tengo paciencia.

ZAPATERA

Hoy no comemos..., de manera que ya te puedes buscar la comida por otro sitio. *(La* ZAPATERA *sale rápidamente hecha una furia.)*

ZAPATERO

Mañana *(Sonriendo.)* quizá la tengas que buscar tú también. *(Se va al banquillo.)*

(Por la puerta central aparece el ALCALDE. *Viste de azul oscuro, gran capa y larga vara de mando rematada con cabos de plata. Habla despacio y con gran sorna.)*

ALCALDE

¿En el trabajo?

ZAPATERO

En el trabajo, señor alcalde.

ALCALDE

¿Mucho dinero?

ZAPATERO

El suficiente.

(El ZAPATERO *sigue trabajando. El* ALCALDE *mira curiosamente a todos lados.)*

ALCALDE

Tú no estás bueno.

ZAPATERO

(Sin levantar la cabeza)

No.

ALCALDE

¿La mujer?

ZAPATERO

(Asintiendo)

¡La mujer!

ALCALDE

(Sentándose)

Eso tiene casarse a tu edad... A tu edad se debe estar viudo... de una, como mínimum... Yo estoy de cuatro: Rosa, Manuela, Visitación y Enriqueta Gómez, que ha sido la última; buenas mozas todas, aficionadas a las flores y al agua limpia. Todas, sin excepción, han probado esta vara repetidas veces. En mi casa..., en mi casa, coser y cantar.

ZAPATERO

Pues ya está usted viendo qué vida la mía. Mi mujer... no me quiere. Habla por la ventana con todos. Hasta con don Mirlo, y a mí se me está encendiendo la sangre.

ALCALDE

(Riendo)

Es que es una chiquilla alegre, eso es natural.

ZAPATERO

¡Ca! Estoy convencido..., yo creo que esto lo hace por atormentarme; porque estoy seguro..., ella me odia. Al principio creí que la dominaría con mi carácter dulzón y mis regalillos: collares de coral, cintillos, peinetas de concha..., ¡hasta unas ligas! Pero ella... ¡siempre es ella!

ALCALDE

Y tú, siempre tú; ¡qué demonio! Vamos, lo estoy viendo y me parece mentira cómo un hombre. lo que se dice un hombre, no puede meter en cintura, no una, sino ochenta hembras. Si tu mujer habla por la ventana con todos, si tu mujer se pone agria contigo, es porque tú quieres, porque tú no tienes arranque. A las mujeres, buenos apretones en la cintura, pisadas fuertes y la voz siempre en alto, y si con esto se atreven a hacer kikirikí, la vara, no hay otro remedio. Rosa, Manuela, Visitación y Enriqueta Gómez, que ha sido la última, te lo pueden decir desde la otra vida, si es que por casualidad están allí.

ZAPATERO

Pero si el caso es que no me atrevo a decirle una cosa. *(Mira con recelo.)*

ALCALDE

(Autoritario)

Dímela.

ZAPATERO

Comprendo que es una barbaridad..., pero yo no estoy enamorado de mi mujer.

ALCALDE

¡Demonio!

ZAPATERO

Sí, señor, ¡demonio!

ALCALDE

Entonces, grandísimo tunante, ¿por qué te has casado?

ZAPATERO

Ahí lo tiene usted. Yo no me lo explico tampoco. Mi hermana, mi hermana tiene la culpa. Que si te vas a quedar solo, que si qué sé yo, que si qué sé yo cuántos. Yo tenía dinerillos, salud, y dije: ¡allá voy! Pero, benditísima soledad antigua. ¡Mal rayo parta a mi hermana, que en paz descanse!

ALCALDE

¡Pues te has lucido!

ZAPATERO

Sí, señor, me he lucido... Ahora, que yo no aguanto más. Yo no sabía lo que era una mujer. Digo, ¡usted, cuatro! Yo no tengo edad para resistir este jaleo.

ZAPATERA

(Cantando dentro, fuerte)

¡Ay, jaleo, jaleo,
ya se acabó el alboroto
y vamos al tiroteo!

ZAPATERO

Ya lo está usted oyendo.

ALCALDE

¿Y qué piensas hacer?

ZAPATERO

Cuca silvana. *(Hace un ademán.)*

ALCALDE

¿Se te ha vuelto el juicio?

ZAPATERO
(Excitado)

El zapatero a tus zapatos se acabó para mí. Yo soy un hombre pacífico. Yo no estoy acostumbrado a estos vocerios y a estar en lenguas de todos.

ALCALDE
(Riéndose)

Recapacita lo que has dicho que vas a hacer; que tú eres capaz de hacerlo, y no seas tonto. Es una lástima que un hombre como tú no tenga el carácter que debías tener.

(Por la puerta de la izquierda aparece la ZAPATERA *echándose polvos con una polvera rosa y limpiándose las cejas.)*

ZAPATERA

Buenas tardes.

ALCALDE

Muy buenas. (*Al* ZAPATERO.) ¡Como guapa, es guapísima!

ZAPATERO

¿Usted cree?

ALCALDE

¡Qué rosas tan bien puestas lleva usted en el pelo y qué bien huelen!

ZAPATERA

Muchas que tiene usted en los balcones de su casa.

ALCALDE

Efectivamente. ¿Le gustan a usted las flores?

ZAPATERA

¿A mí?... ¡Ay, me encantan! Hasta en el tejado tendría yo macetas, en la puerta, por las paredes. Pero a éste..., a ése... no le gustan. Claro, toda la vida haciendo botas, ¡qué quiere usted! *(Se sienta en la ventana.)* Y buenas tardes. *(Mira a la calle y coquetea.)*

ZAPATERO

¿Lo ve usted?

ALCALDE

Un poco brusca..., pero es una mujer guapísima. ¡Qué cintura tan ideal!

ZAPATERO

No la conoce usted.

ALCALDE

¡Pchs! *(Saliendo majestuosamente.)* ¡Hasta mañana! Y a ver si se despeja esa cabeza. ¡A descansar, niña! ¡Qué lástima de talle! *(Vase mirando a la* ZAPATERA.) ¡Porque, vamos! ¡Y hay que ver qué ondas en el pelo! *(Sale.)*

ZAPATERO
(Cantando)

Si tu madre quiere un rey,
la baraja tiene cuatro:
rey de oros, rey de copas,
rey de espadas, rey de bastos.

(La ZAPATERA *coge una silla, y, sentada en la ventana, empieza a darle vueltas.)*

ZAPATERO
(Cogiendo otra silla y dándole vueltas en sentido contrario)

Si sabes que tengo esa superstición, y para mí esto es como si me dieras un tiro, ¿por qué lo haces?

ZAPATERA
(Soltando la silla)

¿Qué he hecho yo? ¿No te digo que no me dejas ni moverme?

ZAPATERO

Ya estoy harto de explicarte...; pero es inútil. *(Va a hacer mutis, pero la* ZAPATERA *empieza otra vez y el* ZAPATERO *viene corriendo desde la puerta y da vueltas a su silla.)* ¿Por qué no me dejas marchar, mujer?

ZAPATERA

¡Jesús!, pero si lo que yo estoy deseando es que te vayas.

ZAPATERO

¡Pues déjame!

ZAPATERA

(Enfurecida)

¡Pues vete!

(Fuera se oye una flauta acompañada de guitarra que toca una polquita antigua con el ritmo cómicamente acusado. La ZAPATERA *empieza a llevar el compás con la cabeza, y el* ZAPATERO *huye por la izquierda.)*

ZAPATERA

(Cantando)

Larán, larán... A mí, es que la flauta me ha gustado siempre mucho... Yo siempre he tenido delirio por ella... Casi se me saltan las lágrimas... ¡Qué primor! Larán, larán... Oye... Me gustaría que él la oyera... *(Se levanta y se pone a bailar como si lo hiciera con novios imaginarios.)* ¡Ay Emiliano! Qué cintillos tan preciosos llevas... No, no... Me da vergüencilla... Pero, José María, ¿no ves que nos están viendo? Coge un pañuelo, que no quiero que me manches el vestido. A ti te quiero, a ti... ¡Ah, sí!..., mañana que traigas la jaca blanca, la que a mí me gusta. *(Ríe. Cesa la músi-*

ca.) ¡Qué mala sombra! Esto es dejar a una con la miel en los labios... Qué...

(Aparece en la ventana DON MIRLO. *Viste de negro, frac y pantalón corto. Le tiembla la voz y mueve la cabeza como un muñeco de alambre.)*

MIRLO

¡Chisssss!

ZAPATERA

(Sin mirar y vuelta de espaldas a la ventana)

Pin, pin, pío, pío, pío.

MIRLO

(Acercándose más)

¡Chissss! Zapaterilla blanca, como el corazón de las almendras, pero amargosilla también. Zapaterita..., junco de oro encendido... Zapaterita, bella Otero de mi corazón.

ZAPATERA

Cuánta cosa, don Mirlo; a mí me parecía imposible que los pajarracos hablaran. Pero si anda por ahí revoloteando un mirlo negro, negro y viejo..., sepa que yo no puedo oírle cantar hasta más tarde..., pin, pío, pío, pío.

MIRLO

Cuando las sombras crepusculares invadan con sus tenues velos el mundo y la vía pública se halle libre de transeúntes, volveré. *(Toma rapé y estornuda sobre el cuello de la* ZAPATERA.*)*

ZAPATERA

(Volviéndose airada y pegando a DON MIRLO, *que tiembla)*

¡Aaaa! *(Con cara de asco.)* ¡Y aunque no vuelvas, indecente! Mirlo de alambre, garabato de candil... Corre, corre... ¿Se habrá visto? ¡Mira que estornudar! ¡Vaya mucho con Dios! ¡Qué asco!

(En la ventana se para el MOZO DE LA FAJA. *Tiene el sombrero plano echado a la cara y da pruebas de gran pesadumbre.)*

MOZO

¿Se toma el fresco, zapaterita?

ZAPATERA

Exactamente igual que usted.

MOZO

Y siempre sola... ¡Qué lástima!

ZAPATERA

(Agria)

¿Y por qué lástima?

MOZO

Una mujer como usted, con ese pelo y esa pechera tan hermosísima...

ZAPATERA

(Más agria)

Pero ¿por qué lástima?

MOZO

Porque usted es digna de estar pintada en las tarjetas postales y no aquí..., en este portalillo.

ZAPATERA

¿Sí?... A mí las tarjetas postales me gustan mucho, sobre todo las de novios que se van de viaje...

MOZO

¡Ay zapaterita, qué calentura tengo! *(Siguen hablando.)*

ZAPATERO

(Entrando y retrocediendo)

¡Con todo el mundo y a estas horas! ¡Qué dirán los que vengan al rosario de la iglesia! ¡Qué dirán en el casino! ¡Me estarán poniendo!... En cada casa un traje con ropa interior y todo. *(La* ZAPATERA *se ríe.)* ¡Ay Dios mío! ¡Tengo razón para marcharme! Quisiera oír a la mujer del sacristán; pues ¿y los curas? ¿Qué dirán los curas? Eso será lo que habrá que oír. *(Entra desesperado.)*

MOZO

¿Cómo quiere que se lo exprese?... Yo la quiero, te quiero como...

ZAPATERA

Verdaderamente eso de «la quiero», «te quiero», suena de un modo que parece que me están haciendo cosquillas con una pluma detrás de las orejas. Te quiero, la quiero...

MOZO

¿Cuántas semillas tiene el girasol?

ZAPATERA

¡Yo qué sé!

MOZO

Tantos suspiros doy a cada minuto por usted, por ti... *(Muy cerca.)*

ZAPATERA

(Brusca)

Estate quieto. Yo puedo oírte hablar porque me gusta y es bonito, pero nada más. ¿lo oyes? ¡Estaría bueno!

MOZO

Pero eso no puede ser. ¿Es que tienes otro compromiso?

ZAPATERA

Mira, vete.

MOZO

No me muevo de este sitio sin el sí. ¡Ay mi zapaterita, dame tu palabra! *(Va a abrazarla.)*

ZAPATERA

(Cerrando violentamente la ventana)

¡Pero qué impertinente, qué loco!... ¡Si te he hecho daño te aguantas!... Como si yo no estuviese aquí más que paraaa, paraaa... ¿Es que en este pueblo no puede una hablar con nadie? Por lo que veo, en este pueblo no hay más que dos extremos: o monja o trapo de fregar... ¡Era lo que me quedaba de ver! *(Haciendo como que huele y echando a correr.)* ¡Ay, mi comida que está en la lumbre! ¡Mujer ruin!

(La luz se va marchando. El ZAPATERO *sale con una gran capa y un bulto de ropa en la mano.)*

ZAPATERO

¡O soy otro hombre o no me conozco! ¡Ay casita mía! ¡Ay banquillo mío! Cerote, clavos, pieles de becerro... Bueno. *(Se dirige hacia la puerta y retrocede, pues se topa con dos* BEATAS *en el mismo quicio.)*

BEATA 1.ª

Descansando, ¿verdad?

BEATA 2.ª

¡Hace usted bien en descansar!

ZAPATERO

(De mal humor)

¡Buenas noches!

BEATA 1.ª

A descansar, maestro.

BEATA 2.ª

¡A descansar, a descansar! *(Se van.)*

ZAPATERO

Sí, descansando... ¡Pues no estaban mirando por el ojo de la llave! ¡Brujas, sayonas! ¡Cuidado con el retintín con que me lo han dicho! Claro..., si en todo el pueblo no se hablará de otra cosa: ¡que si yo, que si ella, que si los mozos! ¡Ay! ¡Mal rayo parta a mi hermana, que en paz descanse! ¡Pero primero solo que señalado por el dedo de los demás! *(Sale rápidamente y deja la puerta abierta.)*

(Por la izquierda aparece la ZAPATERA.*)*

ZAPATERA

Ya está la comida..., ¿me estás oyendo? *(Avanza hacia la puerta de la derecha.)* ¿Me estás oyendo? Pero ¿habrá tenido el valor de marcharse al cafetín, dejando la puerta abierta... y sin haber terminado los borceguíes? Pues cuando vuelva ¡me oirá! ¡Me tiene que oír! ¡Qué hombres son los hombres, qué abusivos y qué..., qué..., vaya! *(En un repeluzno.)* ¡Ay, qué fresquito hace! *(Se pone a encender el candil y de la calle llega el ruido de las esquilas de los rebaños que vuelven. La* ZAPATERITA *se asoma a la ventana.)* ¡Qué primor de rebaños! Lo que es a mí, me chalan las ovejitas. Mira, mira... aquella blanca tan chiquita que casi no puede andar. ¡Ay!... Pero aquella grandota y antipática se empeña en pisarla y nada... *(A voces.)* Pastor, ¡asombrado! ¿No estás viendo que te pisotean la oveja recién nacida? *(Pausa.)* Pues claro que me importa... ¿No ha de importarme? ¡Brutísimo!... Y mucho... *(Se quita de la ventana.)* Pero, señor, ¿adónde habrá ido este hombre desnortado? Pues si tarda siquiera dos minutos más, como yo sola, que me basto y me sobro... ¡Con la comida tan buena que he preparado!... Mi cocido, con sus patatas de la sierra, dos pimientos verdes, pan blanco, un poquito magro de tocino, y arrope con calabaza y cáscara de limón para encima, ¡porque lo que es cuidarlo, lo que es cuidarlo, lo estoy cuidando a mano!

(Durante todo este monólogo da muestras de gran actividad, moviéndose de un lado para otro, arreglando las sillas, despabilando el velón y quitándose motas del vestido.)

NIÑO

(En la puerta)

¿Estás disgustada todavía?

ZAPATERA

Primorcito de su vecino, ¿dónde vas?

NIÑO

(En la puerta)

Tú no me regañarás, ¿verdad?, porque a mi madre, que algunas veces me pega, la quiero veinte arrobas, pero a ti te quiero treinta y dos y media...

ZAPATERA

¿Por qué eres tan precioso? *(Sienta al* NIÑO *en sus rodillas.)*

NIÑO

Yo venía a decirte una cosa que nadie quiere decirte. Ve tú, ve tú, ve tú, y nadie quería, y entonces: «Que vaya el niño», dijeron..., porque era un notición que nadie quiere dar.

ZAPATERA

Pero dímelo pronto, ¿qué ha pasado?

NIÑO

No te asustes, que de muertos no es.

ZAPATERA

¡Anda!

NIÑO

Mira, zapaterita... *(Por la ventana entra una mariposa, y el* NIÑO, *bajándose de las rodillas de la* ZAPATERA, *echa a correr.)* Una mariposa, una mariposa... ¿No tienes un sombrero?... Es amarilla, con pintas azules y rojas... y, ¡qué sé yo!...

ZAPATERA

Pero, hijo mío..., ¿quieres...?

NIÑO

(Enérgico)

Cállate y habla en voz baja, ¿no ves que se espanta si no? ¡Ay! ¡Dame tu pañuelo!

ZAPATERA

(Intrigada ya en la caza)

Tómalo.

NIÑO

¡Chist!... No pises fuerte.

ZAPATERA

Lograrás que se escape.

NIÑO

(En voz baja y como encantando a la mariposa, canta)

Mariposa del aire,
qué hermosa eres,
mariposa del aire
dorada y verde.
Luz del candil,
mariposa del aire,
¡quédate ahí, ahí, ahí!...
No te quieres parar,
pararte no quieres.
Mariposa del aire,
dorada y verde.
Luz de candil,
mariposa del aire,
¡quédate ahí, ahí, ahí!...
¡Quédate ahí!
Mariposa, ¿estás ahí?

ZAPATERA

(En broma)

Síííí.

NIÑO

No, eso no vale.

(La mariposa vuela.)

ZAPATERA

¡Ahora! ¡Ahora!

NIÑO

(Corriendo alegremente con el pañuelo)

¿No te quieres parar? ¿No quieres dejar de volar?

ZAPATERA

(Corriendo también por otro lado)

¡Que se escapa, que se escapa!

(El NIÑO *sale corriendo por la puerta persiguiendo a la mariposa.)*

ZAPATERA

(Enérgica)

¿Dónde vas?

NIÑO

(Suspenso)

¡Es verdad! *(Rápido.)* ¡Pero yo no tengo la culpa!

ZAPATERA

¡Vamos! ¿Quieres decirme lo que pasa? ¡Pronto!

NIÑO

¡Ay! Pues mira..., tu marido, el zapatero, se ha ido para no volver más.

ZAPATERA

(Aterrada)

¿Cómo?

NIÑO

Sí, sí, eso ha dicho en mi casa antes de montarse en la diligencia, que lo he visto yo..., y nos encargó que te lo dijéramos y ya lo sabe todo el pueblo...

ZAPATERA

(Sentándose desplomada)

¡No es posible, esto no es posible! ¡Yo no lo creo!

NIÑO

¡Sí que es verdad, no me regañes!

ZAPATERA

(Levantándose hecha una furia y dando fuertes pisotadas en el suelo)

¿Y me da este pago? ¿Y me da este pago?

(El NIÑO *se refugia detrás de la mesa.)*

NIÑO

¡Que se te caen las horquillas!

ZAPATERA

¿Qué va a ser de mí sola en esta vida? ¡Ay, ay, ay! *(El* NIÑO *sale corriendo. La ventana y las puertas están llenas de vecinos.)* Sí, sí, venid a verme cascantes, comadricas, por vuestra culpa ha sido.

ALCALDE

Mira, ya te estás callando. Si tu marido te ha dejado ha sido porque no lo querías, porque no podía ser.

ZAPATERA

¿Pero lo van a saber ustedes mejor que yo? Sí, lo quería, vaya si lo quería, que pretendientes buenos y muy riquísimos he tenido y no les he dado el sí jamás. ¡Ay pobrecito mío, qué cosas te habrán contado!

SACRISTANA

(Entrando)

Mujer, repórtate.

ZAPATERA

No me resigno. No me resigno. ¡Ay, ay!

(Por la puerta empiezan a entrar VECINAS *vestidas con colores violentos y que llevan grandes vasos de refrescos. Giran, corren, entran y salen alrededor de la* ZAPATERA, *que está sentada gritando, con la prontitud y ritmo de baile. Las grandes faldas se abren a las vueltas que dan. Todos adoptan una actitud cómica de pena.)*

VECINA AMARILLA

Un refresco.

VECINA ROJA

Un refresquito.

VECINA VERDE

Para la sangre.

VECINA NEGRA

De limón.

VECINA MORADA

De zarzaparrilla.

VECINA ROJA

La menta es mejor.

VECINA MORADA

Vecina.

VECINA VERDE

Vecinita.

VECINA NEGRA

Zapatera.

VECINA VERDE

Zapaterita.

(Las VECINAS *arman gran algazara. La* ZAPATERA *llora a gritos.)*

Telón

ACTO SEGUNDO

La misma decoración. A la izquierda, el banquillo arrumbado. A la derecha, un mostrador con botellas y un lebrillo con agua, donde la ZAPATERA *friega las copas. La* ZAPATERA *está detrás del mostrador. Viste un traje rojo encendido, con amplias faldas, y los brazos al aire. En la escena, dos mesas. En una de ellas está sentado* DON MIRLO, *que toma un refresco, y en la otra el* MOZO DEL SOMBRERO *en la cara*

La ZAPATERA *friega con gran ardor vasos y copas, que va colocando en el mostrador. Aparece en la puerta el* MOZO DE LA FAJA *y el sombrero plano del primer acto. Está triste. Lleva los brazos caídos y mira de manera tierna a la* ZAPATERA. *Al actor que exagere lo más mínimo en este tipo, debe el director de escena darle un bastonazo en la cabeza. Nadie debe exagerar. La farsa exige siempre naturalidad. El autor ya se ha encargado de dibujar el tipo, y el sastre, de vestirlo. Sencillez. El* MOZO *se detiene en la puerta.* DON MIRLO *y el otro* MOZO *vuelven la cabeza y lo miran. Ésta es casi una escena de cine. Las miradas y expresión del conjunto dan su expresión. La* ZAPATERA *deja de fregar y mira al* MOZO *fijamente. Silencio*

ZAPATERA

Pase usted.

MOZO DE LA FAJA

Si usted lo quiere...

ZAPATERA
(Asombrada)

¿Yo? Me trae absolutamente sin cuidado, pero como lo veo en la puerta...

MOZO DE LA FAJA

Lo que usted quiera. *(Se apoya en el mostrador. Entre dientes.)* Éste es otro al que voy a tener que...

ZAPATERA

¿Qué va a tomar?

MOZO DE LA FAJA

Seguiré sus indicaciones.

ZAPATERA

Pues la puerta.

MOZO DE LA FAJA

¡Ay Dios mío, cómo cambian los tiempos!

ZAPATERA

No crea que me voy a echar a llorar. Vamos. Va usted a tomar copa, café, refresco, ¿diga?

MOZO DE LA FAJA

Refresco.

ZAPATERA

No me mire tanto, que se me va a derramar el jarabe.

MOZO DE LA FAJA

Es que yo me estoy muriendo, ¡ay!

(Por la ventana pasan dos MAJAS *con inmensos abanicos. Miran, se santiguan escandalizadas, se tapan los ojos con los pericones y, a pasos menuditos, cruzan.)*

ZAPATERA

El refresco.

MOZO DE LA FAJA

(Mirándola)

¡Ay!

MOZO DEL SOMBRERO

(Mirando al suelo)

¡Ay!

MIRLO

(Mirando al techo)

¡Ay!

(La ZAPATERA *dirige la cabeza hacia los tres ayes.)*

ZAPATERA

¡Requeteay! Pero esto ¿es una taberna o un hospital? ¡Abusivos! Si no fuera porque tengo que ganarme la vida con estos vinillos y este trapicheo, porque estoy sola desde que se fue por culpa de todos vosotros mi pobrecito marido de mi alma, ¿cómo es posible que yo aguantara esto? ¿Qué me dicen ustedes? Los voy a tener que plantar en lo ancho de la calle.

MIRLO

Muy bien, muy bien dicho.

MOZO DEL SOMBRERO

Has puesto taberna y podemos estar aquí dentro todo el tiempo que queramos.

ZAPATERA

(Fiera)

¿Cómo? ¿Cómo?

(El MOZO DE LA FAJA *inicia el mutis y* DON MIRLO *se levanta sonriente y haciendo como que está en el secreto y que volverá.)*

MOZO DEL SOMBRERO

Lo que he dicho.

ZAPATERA

Pues si dices tú, más digo yo, y puedes enterarte, y todos los del pueblo, que hace cuatro meses que se fue mi marido y no cederé a nadie jamás, porque una mujer casada debe estarse en su sitio como Dios manda. Y que no me asusto de nadie, ¿lo oyes?, que yo tengo la sangre de mi abuelo, que esté en gloria, que fue desbravador de caballos y lo que se dice un hombre. Decente fui y decente lo seré. Me comprometí con mi marido. Pues hasta la muerte.

(DON MIRLO *sale por la puerta rápidamente y haciendo señas que indican una relación entre él y la* ZAPATERA.)

MOZO DEL SOMBRERO

(Levantándose)

Tengo tanto coraje que agarraría a un toro de los cuernos, le haría hincar la cerviz en las arenas y después me comería sus sesos crudos con estos dientes míos, en la seguridad de no hartarme de morder. *(Sale rápidamente y* DON MIRLO *huye hacia la izquierda.)*

ZAPATERA

(Con las manos en la cabeza)

Jesús, Jesús, Jesús y Jesús. *(Se sienta.)*

(Por la puerta entra el NIÑO, *se dirige a la* ZAPATERA *y le tapa los ojos.)*

NIÑO

¿Quién soy yo?

ZAPATERA

Mi niño, pastorcillo de Belén.

NIÑO

Ya estoy aquí. *(Se besan.)*

ZAPATERA

¿Vienes por la meriendita?

NIÑO

Si tú me la quieres dar...

ZAPATERA

Hoy tengo una onza de chocolate.

NIÑO

¿Sí? A mí me gusta mucho estar en tu casa.

ZAPATERA

(Dándole la onza)

¿Por qué eres interesadillo?

NIÑO

¿Interesadillo? ¿Ves este cardenal que tengo en la rodilla?

ZAPATERA

¿A ver? *(Se sienta en una silla baja y toma al* NIÑO *en brazos.)*

NIÑO

Pues me lo ha hecho el Cunillo porque estaba cantando... las coplas que te han sacado y yo le pegué en la cara, y entonces él me tiró una piedra que, ¡plaff!, mira.

ZAPATERA

¿Te duele mucho?

NIÑO

Ahora no, pero he llorado.

ZAPATERA

No hagas caso ninguno de lo que dicen.

NIÑO

Es que eran cosas muy indecentes. Cosas indecentes que yo sé decir, ¿sabes?, pero que no quiero decir.

ZAPATERA

(Riéndose)

Porque si lo dices cojo un pimiento picante y te pongo la lengua como un ascua. *(Ríen.)*

NIÑO

Pero ¿por qué te echarán a ti la culpa de que tu marido se haya marchado?

ZAPATERA

Ellos, ellos son los que la tienen y los que me hacen desgraciada.

NIÑO

(Triste)

No digas, Zapaterita.

ZAPATERA

Yo me miraba en sus ojos. Cuando le veía venir montado en su jaca blanca...

NIÑO

(Interrumpiéndole)

¡Ja, ja, ja! Me estás engañando. El señor Zapatero no tenía jaca.

ZAPATERA

Niño, sé más respetuoso. Tenía jaca, claro que la tuvo, pero es..., es que tú no habías nacido.

NIÑO

(Pasándole la mano por la cara)

¡Ah! ¡Eso sería!

ZAPATERA

Ya ves tú..., cuando lo conocí estaba yo lavando en el arroyo del pueblo. Medio metro de agua y las chinas del fondo se veían reír, reír con el temblorcillo. Él venía con un traje negro entallado, corbata roja de seda buenísima y cuatro anillos de oro que relumbraban como cuatro soles.

NIÑO

¡Qué bonito!

ZAPATERA

Me miró y lo miré. Yo me recosté en la hierba. Todavía me parece sentir en la cara aquel aire tan fresquito que venía por los árboles. Él paró su caballo y la cola del caballo era blanca y tan larga que llegaba al agua del arroyo. *(La* ZAPATERA *está casi llorando. Empieza a oírse un canto lejano.)* Me puse tan azorada, que se me fueron dos pañuelos preciosos, así de pequeñitos, en la corriente.

NIÑO

¡Qué risa!

ZAPATERA

Él, entonces me dijo... *(El canto se oye más cerca. Pausa)* ¡Chisss!...

NIÑO

(Se levanta)

¡Las coplas!

ZAPATERA

¡Las coplas! *(Pausa. Los dos escuchan.)* ¿Tú sabes lo que dicen?

NIÑO

(Con la mano)

Medio, medio.

ZAPATERA

Pues cántalas, que quiero enterarme.

NIÑO

¿Para qué?

ZAPATERA

Para que yo sepa de una vez lo que dicen.

NIÑO

(Cantando y siguiendo el compás)

Verás:

La señora Zapatera,
al marcharse su marido,
ha montado una taberna
donde acude el señorío.

ZAPATERA

¡Me la pagarán!

NIÑO

(El NIÑO *lleva el compás con la mano en la mesa)*

¿Quién te compra, Zapatera,
el paño de tus vestidos
y esas chambras de batista
con encaje de bolillos?
Ya la corteja el Alcalde,
ya la corteja Don Mirlo.
¡Zapatera, Zapatera,
Zapatera, te has lucido!

(Las voces se van distinguiendo cerca y claras con su acompañamiento de panderos. La ZAPATERA *coge un mantoncillo de Manila y se lo echa sobre los hombros.)*

¿Dónde vas? *(Asustado.)*

ZAPATERA

¡Van a dar lugar a que compre un revólver!

(El canto se aleja. La ZAPATERA *corre a la puerta. Pero tropieza con el* ALCALDE, *que viene majestuoso, dando golpes con la vara en el suelo.)*

ALCALDE

¿Quién despacha?

ZAPATERA

¡El demonio!

ALCALDE

Pero ¿qué ocurre?

ZAPATERA

Lo que usted debía saber hace muchos días, lo que usted como alcalde no debía permitir. La gente me canta coplas, los vecinos se ríen en sus puertas, y como no tengo marido que vele por mí, salgo yo a defenderme, ya que en este pueblo las autoridades son calabacines, ceros a la izquierda, estafermos.

NIÑO

Muy bien dicho.

ALCALDE

(Enérgico)

Niño, niño, basta de voces... ¿Sabes tú lo que he hecho ahora? Pues meter en la cárcel a dos o tres de los que venían cantando.

ZAPATERA

¡Quisiera yo ver eso!

VOZ

(Fuera)

¡Niñoooo!

NIÑO

¡Mi madre me llama! *(Corre a la ventana.)* ¿Quéee? Adiós. Si quieres te puedo traer el espadón grande de mi abuelo, el que se fue a la guerra. Yo no puedo con él, ¿sabes?; pero tú, sí.

ZAPATERA
(Sonriendo)

¡Lo que quieras!

VOZ
(Fuera)

¡Niñoooo!

NIÑO
(En la calle)

¿Quéeee?

ALCALDE

Por lo que veo, este niño sabio y retorcido es la única persona a quien tratas bien en el pueblo.

ZAPATERA

No pueden ustedes hablar una sola palabra sin ofender... ¿De qué se ríe su ilustrísima?

ALCALDE

¡De verte tan hermosa y desperdiciada!

ZAPATERA

¡Antes un perro! *(Le sirve un vaso de vino.)*

ALCALDE

¡Qué desengaño de mundo! Muchas mujeres he conocido como amapolas, como rosas de olor..., mujeres morenas con los ojos como tinta de fuego, mujeres que les huele el pelo a nardos y siempre tienen las manos con calentura, mujeres cuyo talle se puede abarcar con estos dos dedos, pero como tú, como tú no hay nadie. Anteayer estuve enfermo toda la mañana porque vi tendidas en el prado dos camisas tuyas con lazos celestes, que era como verte a ti, zapatera de mi alma.

ZAPATERA

(Estallando furiosa)

Calle usted, viejísimo, calle usted; con hijas mozuelas y lleno de familia no se debe cortejar de esta manera tan indecente y tan descarada.

ALCALDE

Soy viudo.

ZAPATERA

Y yo casada.

ALCALDE

Pero tu marido te ha dejado y no volverá, estoy seguro.

ZAPATERA

Yo viviré como si lo tuviera.

ALCALDE

Pues a mí me consta, porque me lo dijo, que no te quería ni tanto así.

ZAPATERA

Pues a mí me consta que sus cuatro señoras, mal rayo las parta, le aborrecían a muerte.

ALCALDE

(Dando en el suelo con la vara)

¡Ya estamos!

ZAPATERA

(Tirando un vaso)

¡Ya estamos!

(Pausa.)

ALCALDE

(Entre dientes)

Si yo te cogiera por mi cuenta, ¡vaya si te dominaba!

ZAPATERA

(Guasona)

¿Qué está usted diciendo?

ALCALDE

Nada, pensaba... de que si tú fueras como debías ser, te hubieras enterado que tengo voluntad y valentía para hacer escritura, delante del notario, de una casa muy hermosa.

ZAPATERA

¿Y qué?

ALCALDE

Con un estrado que costó cinco mil reales, con centros de mesa, con cortinas de brocatel, con espejos de cuerpo entero...

ZAPATERA

¿Y qué más?

ALCALDE

(Tenoriesco)

Que la casa tiene una cama con coronación de pájaros y azucenas de cobre, un jardín con seis palmeras y una fuente saltadora, pero aguarda, para estar alegre, que una persona que sé yo se quiera aposentar en sus salas, donde estaría... (*Dirigiéndose a la* ZAPATERA.) mira, ¡estarías como una reina!

ZAPATERA

(Guasona)

Yo no estoy acostumbrada a esos lujos. Siéntese usted en el estrado, métase usted en la cama, mírese usted en los espejos y póngase con la boca abierta debajo de las palmeras esperando que le caigan los dátiles, que yo de zapatera no me muevo.

ALCALDE

Ni yo de alcalde. Pero que te vayas enterando que no por mucho despreciar amanece más temprano. *(Con retintín.)*

ZAPATERA

Y que no me gusta usted ni me gusta nadie del pueblo. ¡Que está usted muy viejo!

ALCALDE

(Indignado)

Acabaré metiéndote en la cárcel.

ZAPATERA

¡Atrévase usted!

(Fuera se oye un toque de trompeta floreado y comiquísimo.)

ALCALDE

¿Qué será eso?

ZAPATERA

(Alegre y ojiabierta)

¡Títeres! *(Se golpea las rodillas.)*

(Por la ventana cruzan dos MUJERES.)

VECINA ROJA

¡Títeres!

VECINA MORADA

¡Títeres!

NIÑO

(En la ventana)

¿Traerán monos? ¡Vamos!

ZAPATERA

(*Al* ALCALDE)

¡Yo voy a cerrar la puerta!

NIÑO

¡Vienen a tu casa!

ZAPATERA

¿Sí? *(Se acerca a la puerta.)*

NIÑO

¡Míralos!

(Por la puerta aparece el ZAPATERO *disfrazado. Trae una trompeta y un cartelón enrollado a la espalda; lo rodea la gente. La* ZAPATERA *queda en actitud expectante y el* NIÑO *salta por la ventana y se coge a sus faldones.)*

ZAPATERO

Buenas tardes.

ZAPATERA

Buenas tardes tenga usted, señor titiritero.

ZAPATERO

¿Aquí se puede descansar?

ZAPATERA

Y beber, si usted gusta.

ALCALDE

Pase usted, buen hombre, y tome lo que quiera, que yo pago. (*A los* VECINOS.) Y vosotros, ¿qué hacéis ahí?

VECINA ROJA

Como estamos en lo ancho de la calle, no creo que le estorbemos.

(El ZAPATERO, *mirándolo todo con disimulo, deja el rollo sobre la mesa.)*

ZAPATERO

Déjelos, señor Alcalde..., supongo que es usted, que con ellos me gano la vida.

NIÑO

¿Dónde he oído yo hablar a este hombre? (*En toda la escena el* NIÑO *mirará con gran extrañeza al* ZAPATERO.) ¡Haz ya los títeres!

(Los VECINOS *ríen.)*

ZAPATERO

En cuanto tome un vaso de vino.

ZAPATERA
(Alegre)

¿Pero los va usted a hacer en mi casa?

ZAPATERO

Si tú me lo permites.

VECINA ROJA

Entonces, ¿podemos pasar?

ZAPATERA
(Seria)

Podéis pasar. (*Da un vaso al* ZAPATERO.)

VECINA ROJA
(Sentándose)

Disfrutaremos un poquito.

(El ALCALDE *se sienta.)*

ALCALDE

¿Viene usted de muy lejos?

ZAPATERO

De muy lejísimo.

ALCALDE

¿De Sevilla?

ZAPATERO

Échele usted leguas.

ALCALDE

¿De Francia?

ZAPATERO

Échele usted leguas.

ALCALDE

¿De Inglaterra?

ZAPATERO

De las Islas Filipinas.

(Las VECINAS *hacen rumores de admiración. La* ZAPATERA *está extasiada.)*

ALCALDE

¿Habrá usted visto a los insurrectos?

ZAPATERO

Lo mismo que les estoy viendo a ustedes ahora.

NIÑO

¿Y cómo son?

ZAPATERO

Intratables. Figúrense ustedes que casi todos ellos son zapateros.

(Los VECINOS *miran a la* ZAPATERA.)

ZAPATERA
(Quemada)

¿Y no los hay de otros oficios?

ZAPATERO

Absolutamente. En las Islas Filipinas, zapateros.

ZAPATERA

Pues puede que en las Filipinas esos zapateros sean tontos, que aquí en estas tierras los hay listos y muy listos.

VECINA ROJA
(Adulona)

Muy bien hablado.

ZAPATERA
(Brusca)

Nadie le ha preguntado su parecer.

VECINA ROJA

¡Hija mía!

ZAPATERO
(Enérgico, interrumpiendo)

¡Qué rico vino! *(Más fuerte.)* ¡Qué requeterrico vino! *(Silencio.)* Vino de uvas negras como el alma de algunas mujeres que yo conozco.

ZAPATERA

¡De las que la tengan!

ALCALDE

¡Chist! ¿Y en qué consiste el trabajo de usted?

ZAPATERO

(Apura el vaso, chasca la lengua y mira a la ZAPATERA)

¡Ah! Es un trabajo de poca apariencia y de mucha ciencia. Enseño la vida por dentro. Aleluyas con los hechos del zapatero mansurrón y la Fierabrás de Alejandría, vida de don Diego Corrientes, aventuras del guapo Francisco Esteban y, sobre todo, arte de colocar el bocado a las mujeres parlanchinas y respondonas.

ZAPATERA

¡Todas esas cosas las sabía mi pobrecito marido!

ZAPATERO

¡Dios lo haya perdonado!

ZAPATERA

Oiga usted...

(Las VECINAS *ríen.)*

NIÑO

¡Cállate!

ALCALDE

(Autoritario)

¡A callar! Enseñanzas son esas que convienen a todas las criaturas. Cuando usted guste.

(El ZAPATERO *desenrolla el cartelón, en el que hay pintada una historia de ciego, dividida en pequeños cuadros, pintados con almazarrón y colores violentos. Los* VECINOS *inician un movimiento de aproximación y la* ZAPATERA *sienta al* NIÑO *sobre sus rodillas.)*

ZAPATERO

Atención.

NIÑO

¡Ay, qué precioso! *(Abraza a la* ZAPATERA.*)*

ZAPATERA

Que te fijes bien por si acaso no me entero del todo.

NIÑO

Más difícil que la historia sagrada no será.

ZAPATERO

Respetable público: Oigan ustedes el romance verdadero y sustancioso de la mujer rubicunda y el hombrecito de la paciencia, para que sirva de escarmiento y ejemplaridad a todas las gentes de este mundo. *(En tono lúgubre.)* Agudizad vuestros oídos y entendimiento.

(Los VECINOS *alargan la cabeza y algunas* MUJERES *se agarran de las manos.)*

NIÑO

¿No se parece el titiritero, hablando, a tu marido?

ZAPATERA

Él tenía la voz más dulce.

ZAPATERO

¿Estamos?

ZAPATERA

Me sube así un repeluzno.

NIÑO

¡Y a mí también!

ZAPATERO

(Señalando con la varilla)

En un cortijo de Córdoba,
entre jarales y adelfas,
vivía un talabartero
con una talabartera.

(Expectación.)

Ella era mujer arisca,
él hombre de gran paciencia,
ella giraba en los veinte
y él pasaba de cincuenta.
¡Santo Dios, cómo reñían!
Miren ustedes la fiera,
burlando al débil marido
con los ojos y la lengua.

(Está pintada en el cartel una mujer que mira de manera infantil y cansina.)

ZAPATERA

¡Qué mala mujer!

(Murmullos.)

ZAPATERO

Cabellos de emperadora
tiene la talabartera,
y una carne como el agua
cristalina de Lucena.
Cuando movía las faldas
en tiempos de Primavera
olía toda su ropa
a limón y a yerbabuena.
¡Ay, qué limón, limón
de la limonera!
¡Qué apetitosa
talabartera!

(Los VECINOS ríen.)

Ved cómo la cortejaban
mocitos de gran presencia
en caballos relucientes
llenos de borlas de seda.

Gente cabal y garbosa
que pasaba por la puerta
haciendo brillar, adrede,
las onzas de sus cadenas.
La conversación a todos
daba la talabartera,
y ellos caracoleaban
sus jacas sobre las piedras.
Miradla hablando con uno
bien peinada y bien compuesta,
mientras el pobre marido
clava en el cuero la lezna.

(Muy dramático y cruzando las manos.)

Esposo viejo y decente,
casado con joven tierna,
¡qué tunante caballista
roba tu amor en la puerta!

(La ZAPATERA, *que ha estado dando suspiros, rompe a llorar.)*

ZAPATERO
(Volviéndose)

¿Qué pasa?

ALCALDE

¡Pero, niña! *(Da con la vara.)*

VECINA ROJA

¡Siempre llora quien tiene por qué callar!

VECINA MORADA

¡Siga usted!

(Los VECINOS *murmuran y sisean.)*

ZAPATERA

Es que me da mucha lástima y no puedo contenerme, ¿lo ve usted?, no puedo contenerme. *(Llora queriéndose contener, hipando de manera comiquísima.)*

ALCALDE

¡Chitón!

NIÑO

¿Lo ves?

ZAPATERO

¡Hagan el favor de no interrumpirme! ¡Cómo se conoce que no tienen que decirlo de memoria!

NIÑO

(Suspirando)

¡Es verdad!

ZAPATERO

(Malhumorado)

Un lunes por la mañana
a eso de las once y media,
cuando el sol deja sin sombra
los juncos y madreselvas,
cuando alegremente bailan
brisa y tomillo en la sierra
y van cayendo las verdes
hojas de las madroñeras,
regaba sus alhelíes
la arisca talabartera.
Llegó su amigo trotando
una jaca cordobesa
y le dijo entre suspiros:
Niña, si tú lo quisieras,

cenaríamos mañana
los dos solos, en tu mesa.
¿Y qué harás con mi marido?
Tu marido no se entera.
¿Qué piensas hacer? Matarlo.
Es ágil. Quizá no puedas.
¿Tienes revólver? ¡Mejor!,
¡tengo navaja barbera!
¿Corta mucho? Más que el frío.

(La ZAPATERA *se tapa los ojos y aprieta al* NIÑO. *Todos los* VECINOS *tienen una expectación máxima que se notará en sus expresiones.)*

Y no tiene ni una mella.
¿No has mentido? Le daré
diez puñaladas certeras
en esta disposición,
que me parece estupenda:
cuatro en la región lumbar,
una en la tetilla izquierda,
otra en semejante sitio
y dos en cada cadera.
¿Lo matarás en seguida?
Esta noche cuando vuelva
con el cuero y con las crines
por la curva de la acequia.

(En este último verso, y con toda rapidez, se oye fuera del escenario un grito angustiado y fortísimo; los VECINOS *se levantan. Otro grito más cerca. Al Zapatero se le cae de las manos el telón y la varilla. Tiemblan todos cómicamente.)*

VECINA NEGRA
(En la ventana)

¡Ya han sacado las navajas!

ZAPATERA

¡Ay, Dios mío!

VECINA ROJA

¡Virgen Santísima!

ZAPATERO

¡Qué escándalo!

VECINA NEGRA

¡Se están matando! ¡Se están cosiendo a puñaladas por culpa de esa mujer. (*Señala a la* ZAPATERA.)

ALCALDE
(Nervioso)

¡Vamos a ver!

NIÑO

¡Que me da mucho miedo!

VECINA VERDE

¡Acudir, acudir! *(Van saliendo.)*

VOZ
(Fuera)

¡Por esa mala mujer!

ZAPATERO

Yo no puedo tolerar esto; ¡no lo puedo tolerar! *(Con las manos en la cabeza corre la escena.)*

(Van saliendo rapidísimamente todos entre ayes y miradas de odio a la ZAPATERA. *Ésta cierra rápidamente la ventana y la puerta.)*

ZAPATERA

¿Ha visto usted qué infamia? Yo le juro, por la preciosísima sangre de nuestro padre Jesús, que soy inocente. ¡Ay! ¿Qué habrá pasado?... Mire, mire usted cómo tiemblo. *(Le enseña las manos.)* Parece que las manos se quieren escapar ellas solas.

ZAPATERO

Calma, muchacha. ¿Es que su marido está en la calle?

ZAPATERA

(Rompiendo a llorar)

¿Mi marido? ¡Ay señor mío!

ZAPATERO

¿Qué le pasa?

ZAPATERA

Mi marido me dejó por culpa de las gentes y ahora me encuentro sola, sin calor de nadie.

ZAPATERO

¡Pobrecilla!

ZAPATERA

¡Con lo que yo lo quería! ¡Lo adoraba!

ZAPATERO

(Con un arranque)

¡Eso no es verdad!

ZAPATERA

(Dejando rápidamente de llorar)

¿Qué está usted diciendo?

ZAPATERO

Digo que es una cosa tan... incomprensible que... parece que no es verdad. *(Turbado.)*

ZAPATERA

Tiene usted razón, pero yo desde entonces no como, ni duermo, ni vivo; porque él era mi alegría, mi defensa.

ZAPATERO

Y queriéndolo tanto como lo quería, ¿la abandonó? Por lo que veo, su marido de usted era un hombre de pocas luces.

ZAPATERA

Haga el favor de guardar la lengua en el bolsillo. Nadie le ha dado permiso para que dé su opinión.

ZAPATERO

Usted perdone, no he querido...

ZAPATERA

Digo..., ¡cuando era más listo!...

ZAPATERO

(Con guasa)

¿Sííí?

ZAPATERA

(Enérgica)

Sí. ¿Ve usted todos esos romances y chupaletrinas que canta y cuenta por los pueblos? Pues todo eso es un ochavo comparado con lo que él sabía..., él sabía... ¡el triple!

ZAPATERO

(Serio)

No puede ser.

ZAPATERA

(Enérgica)

Y el cuádruple... Me los decía todos a mí cuando nos acostábamos. Historietas antiguas que usted no habrá oído mentar siquiera... *(Gachona.)* y a mí me daba un susto..., pero él me decía: «¡Preciosa de mi alma, si esto ocurre de mentirijillas!»

ZAPATERO

(Indignado)

¡Mentira!

ZAPATERA

(Extrañadísima)

¿Eh? ¿Se le ha vuelto el juicio?

ZAPATERO

¡Mentira!

ZAPATERA

(Indignada)

Pero ¿qué es lo que está usted diciendo, titiritero del demonio?

ZAPATERO

(Fuerte y de pie)

Que tenía mucha razón su marido de usted. Esas historietas son pura mentira, fantasía nada más. *(Agrio.)*

ZAPATERA

(Agria)

Naturalmente, señor mío. Parece que me toma por tonta de capirote..., pero no me negará usted que dichas historietas impresionan.

ZAPATERO

¡Ah, eso ya es harina de otro costal! Impresionan a las almas impresionables.

ZAPATERA

Todo el mundo tiene sentimientos.

ZAPATERO

Según se mire. He conocido mucha gente sin sentimiento. Y en mi pueblo vivía una mujer... en cierta época, que tenía el suficiente mal corazón para hablar con sus amigos por la ventana mientras el marido hacía botas y zapatos de la mañana a la noche.

ZAPATERA

(Levantándose y cogiendo una silla)

¿Eso lo dice por mí?

ZAPATERO

¿Cómo?

ZAPATERA

¡Que si va con segunda, dígalo! ¡Sea valiente!

ZAPATERO

(Humilde)

Señorita, ¿qué está usted diciendo? ¿Qué sé yo quién es usted? Yo no la he ofendido en nada;

¿por qué me falta de esa manera? ¡Pero es mi sino! *(Casi lloroso.)*

ZAPATERA

(Enérgica, pero conmovida)

Mire usted, buen hombre. Yo he hablado así porque estoy sobre ascuas; todo el mundo me asedia, todo el mundo me critica; ¿cómo quiere que no esté acechando la ocasión más pequeña para defenderme? Si estoy sola, si soy joven y vivo ya sólo de mis recuerdos... *(Llora.)*

ZAPATERO

(Lloroso)

Ya comprendo, preciosa joven. Yo comprendo mucho más de lo que pueda imaginarse, porque... ha de saber usted, con toda clase de reservas, que su situación es..., sí, no cabe duda, idéntica a la mía.

ZAPATERA

(Intrigada)

¿Es posible?

ZAPATERO

(Se deja caer sobre la mesa)

A mí... ¡me abandonó mi esposa!

ZAPATERA

¡No pagaba con la muerte!

ZAPATERO

Ella soñaba con un mundo que no era el mío, era fantasiosa y dominanta, gustaba demasiado de la conversación y las golosinas que yo no podía costearle, y un día tormentoso de viento huracanado, me abandonó para siempre.

ZAPATERA

¿Y qué hace usted ahora, corriendo mundo?

ZAPATERO

Voy en su busca para perdonarla y vivir con ella lo poco que me queda de vida. A mi edad ya se está malamente por esas posadas de Dios.

ZAPATERA

(Rápida)

Tome un poquito de café caliente, que después de toda esta tracamundana le servirá de salud. *(Va al mostrador a echar café y vuelve la espalda al* ZAPATERO.)

ZAPATERO

(Persignándose exageradamente y abriendo los ojos)

Dios te lo premie, clavellinita encarnada.

ZAPATERA

(Le ofrece la taza. Se queda con el plato en la mano y él bebe a sorbos)

¿Está bueno?

ZAPATERO

(Meloso)

¡Como hecho por sus manos!

ZAPATERA

(Sonriendo)

¡Muchas gracias!

ZAPATERO
(En el último trago)

¡Ay, qué envidia me da su marido!

ZAPATERA

¿Por qué?

ZAPATERO
(Galante)

¡Porque se pudo casar con la mujer más preciosa de la tierra!

ZAPATERA
(Derretida)

¡Qué cosas tiene!

ZAPATERO

Y ahora casi me alegro de tenerme que marchar, porque usted sola, yo solo, usted tan guapa y yo con mi lengua en su sitio, me parece que se me escaparía cierta insinuación...

ZAPATERA
(Reaccionando)

Por Dios, ¡quite de ahí! ¿Qué se figura? ¡Yo guardo mi corazón entero para el que está por esos mundos, para quien debo, para mi marido!

ZAPATERO
(Contentísimo y tirando el sombrero al suelo)

¡Eso está pero que muy bien! Así son las mujeres verdaderas, ¡así!

ZAPATERA

(Un poco guasona y sorprendida)

Me parece a mí que está usted un poco... *(Se lleva el dedo a la sien.)*

ZAPATERO

Lo que usted quiera. ¡Pero sepa y entienda que yo no estoy enamorado de nadie más que de mi mujer, mi esposa de legítimo matrimonio!

ZAPATERA

Y yo, de mi marido y de nadie más que de mi marido. Cuántas veces lo he dicho para que lo oyeran hasta los sordos. *(Con las manos cruzadas.)* ¡Ay, qué zapaterillo de mi alma!

ZAPATERO

(Aparte)

¡Ay, qué zapaterilla de mi corazón!

(Golpes en la puerta.)

ZAPATERA

¡Jesús! Está una en un continuo sobresalto. ¿Quién es?

NIÑO

¡Abre!

ZAPATERA

Pero ¿es posible? ¿Cómo has venido?

NIÑO

¡Ay, vengo corriendo para decírtelo

ZAPATERA

¿Qué ha pasado?

NIÑO

Se han hecho heridas con las navajas dos o tres mozos y te echan a ti la culpa. Heridas que echan mucha sangre. Todas las mujeres han ido a ver al juez para que te vayas del pueblo, ¡ay! Y los hombres querían que el sacristán tocara las campanas para cantar tus coplas... *(El* NIÑO *está jadeante y sudoroso.)*

ZAPATERA

(Al ZAPATERO)

¿Lo está usted viendo?

NIÑO

Toda la plaza está llena de corrillos..., parece la feria..., ¡y todos contra ti!

ZAPATERO

¡Canallas! Intenciones me dan de salir a defenderla.

ZAPATERA

¿Para qué? Lo meterán en la cárcel. Yo soy la que va a tener que hacer algo gordo.

NIÑO

Desde la ventana de tu cuarto puedes ver el jaleo de la plaza.

ZAPATERA

(Rápida)

Vamos, quiero cerciorarme de la maldad de las gentes. *(Mutis rápido.)*

ZAPATERO

Sí, sí, canallas... pero pronto ajustaré cuentas con todos y me las pagarán... ¡Ah, casilla mía, qué calor más agradable sale por tus puertas y ventanas!: ¡ay, qué terribles paradores, qué malas comidas, qué sábanas de lienzo moreno por esos caminos del mundo! ¡Y qué disparate no sospechar que mi mujer era de oro puro, del mejor de la tierra! ¡Casi me dan ganas de llorar!

VECINA ROJA
(Entrando rápida)

Buen hombre.

VECINA AMARILLA
(Rápida)

Buen hombre.

VECINA ROJA

Salga en seguida de esta casa. Usted es persona decente y no debe estar aquí.

VECINA AMARILLA

Esta es la casa de una leona, de una hiena.

VECINA ROJA

De una mal nacida, desengaño de los hombres.

VECINA AMARILLA

Pero o se va del pueblo o la echamos. Nos trae locas.

VECINA ROJA

Muerta la quisiera ver.

VECINA AMARILLA

Amortajada con su ramo en el pecho.

ZAPATERO

(Angustiado)

¡Basta!

VECINA ROJA

Ha corrido la sangre...

VECINA AMARILLA

No quedan pañuelos blancos.

VECINA ROJA

Dos hombres como dos soles.

VECINA AMARILLA

Con las navajas clavadas.

ZAPATERO

(Fuerte)

¡Basta ya!

VECINA ROJA

Por culpa de ella.

VECINA AMARILLA

Ella, ella y ella.

VECINA ROJA

Miramos por usted.

VECINA AMARILLA

¡Le avisamos con tiempo!

ZAPATERO

Grandísimas embusteras, mentirosas, mal nacidas. Os voy a arrastrar del pelo.

VECINA ROJA

(A la otra)

¡También lo ha conquistado!

VECINA AMARILLA

¡A fuerza de besos habrá sido!

ZAPATERO

¡Así os lleve el demonio! ¡Basiliscos, perjuras!

VECINA NEGRA

(En la ventana)

¡Comadre, corra usted! *(Sale corriendo. Las dos* VECINAS *hacen lo mismo.)*

VECINA ROJA

Otro en el garlito.

VECINA AMARILLA

¡Otro!

ZAPATERO

¡Sayonas judías! ¡Os pondré navajillas barberas en los zapatos! ¡Me vais a soñar!

NIÑO

(Entra rápido)

Ahora entraba un grupo de hombres en casa del Alcalde. Voy a ver lo que dicen. *(Sale corriendo.)*

ZAPATERA

(Valiente)

Pues aquí estoy, si se atreven a venir. Y con serenidad de familia de caballistas que han cruzado muchas veces la sierra, sin hamugas, a pelo sobre los caballos.

ZAPATERO

¿Y no flaqueará algún día su fortaleza?

ZAPATERA

Nunca se rinde la que, como yo, está sostenida por el amor y la honradez. Soy capaz de seguir así hasta que se vuelva cana toda mi mata de pelo.

ZAPATERO

(Conmovido, avanzando hacia ella)

Ay...

ZAPATERA

¿Qué le pasa?

ZAPATERO

Me emociono.

ZAPATERA

Mire usted, tengo a todo el pueblo encima, quieren venir a matarme, y sin embargo no tengo ningún miedo. La navaja se contesta con la navaja y el palo con el palo, pero cuando de noche cierro esa puerta y me voy sola a mi cama..., me da una pena..., ¡qué pena! ¡Y paso unas sofocaciones!... Que cruje la cómoda: ¡un susto! Que suenan con el aguacero los cristales del ventanillo, ¡otro susto! Que yo sola meneo sin querer las perinolas de la cama, ¡susto doble! Y todo esto no es más que el miedo a la soledad donde están los fantasmas, que yo no he visto porque no los he querido ver, pero que vieron mi madre y mi abuela y todas las mujeres de mi familia que han tenido ojos en la cara.

ZAPATERO

¿Y por que no cambia de vida?

ZAPATERA

¿Pero usted está en su juicio? ¿Qué voy a hacer? ¿Dónde voy así? Aquí estoy y Dios dirá.

(Fuera y muy lejanos se oyen murmullos y aplausos.)

ZAPATERO

Yo lo siento mucho, pero tengo que emprender mi camino antes que la noche se me eche encima. ¿Cuánto debo? *(Coge el cartelón.)*

ZAPATERA

Nada.

ZAPATERO

No transijo.

ZAPATERA

Lo comido por lo servido.

ZAPATERO

Muchas gracias. *(Triste, se carga el cartelón.)* Entonces, adiós... para toda la vida, porque a mi edad... *(Está conmovido.)*

ZAPATERA

(Reaccionando)

Yo no quisiera despedirme así. Yo soy mucho más alegre. *(En voz clara.)* Buen hombre, Dios quiera que encuentre usted a su mujer, para que vuelva a vivir con el cuido y la decencia a que estaba acostumbrado. *(Está conmovida.)*

ZAPATERO

Igualmente le digo de su esposo. Pero usted ya sabe que el mundo es reducido; ¿qué quiere que le diga si por casualidad me lo encuentro en mis caminatas?

ZAPATERA

Dígale usted que lo adoro.

ZAPATERO

(Acercándose)

¿Y qué más?

ZAPATERA

Que a pesar de sus cincuenta y tantos años, benditísimos cincuenta años, me resulta más juncal y torerillo que todos los hombres del mundo.

ZAPATERO

¡Niña, qué primor! ¡Le quiere usted tanto como yo a mi mujer!

ZAPATERA

¡Muchísimo más!

ZAPATERO

No es posible. Yo soy como un perrito y mi mujer manda en el castillo, ¡pero que mande! Tiene más sentimiento que yo. *(Está cerca de ella y como adorándola.)*

ZAPATERA

Y no se olvide de decirle que lo espero, que el invierno tiene las noches largas.

ZAPATERO

Entonces, ¿lo recibiría usted bien?

ZAPATERA

Como si fuera el rey y la reina juntos.

ZAPATERO
(Temblando)

¿Y si por casualidad llegara ahora mismo?

ZAPATERA

¡Me volvería loca de alegría!

ZAPATERO

¿Le perdonaría su locura?

ZAPATERA

¡Cuánto tiempo hace que se la perdoné!

ZAPATERO

¿Quiere usted que llegue ahora mismo?

ZAPATERA

¡Ay, si viniera!

ZAPATERO

(Gritando)

¡Pues aquí está!

ZAPATERA

¿Qué está usted diciendo?

ZAPATERO

(Quitándose las gafas y el disfraz)

¡Que ya no puedo más, zapatera de mi corazón!

(La ZAPATERA *está como loca, con los brazos separados del cuerpo. El* ZAPATERO *abraza a la* ZAPATERA *y ésta lo mira fijamente en medio de su crisis. Fuera se oye claramente un runrún de coplas.)*

VOZ

(Dentro)

La señora zapatera
al marcharse su marido
ha montado una taberna
donde acude el señorío.

ZAPATERA

(Reaccionando)

¡Pillo, granuja, tunante, canalla! ¿Lo oyes? ¡Por tu culpa! *(Tira las sillas.)*

ZAPATERO

(Emocionado, dirigiéndose al banquillo)

¡Mujer de mi corazón!

ZAPATERA

¡Corremundos! ¡Ay, cómo me alegro de que hayas venido! ¡Qué vida te voy a dar! ¡Ni la Inquisición! ¡Ni los templarios de Roma!

ZAPATERO

(En el banquillo)

¡Casa de mi felicidad!

(Las coplas se oyen cerquísima. Los VECINOS *aparecen en la ventana.)*

VOCES

(Dentro)

¿Quién te compra, zapatera,
el paño de tus vestidos
y esas chambras de batista
con encaje de bolillos?
Ya la corteja el Alcalde,
ya la corteja Don Mirlo.
Zapatera, zapatera,
¡zapatera, te has lucido!

ZAPATERA

¡Qué desgraciada soy! ¡Con este hombre que Dios me ha dado! *(Yendo a la puerta.)* ¡Callarse, largos de lengua, judíos colorados! Y venid, venid ahora, si queréis. Ya somos dos a defender mi casa, ¡dos!, ¡dos!, yo y mi marido. *(Dirigiéndose al marido.)* ¡Con este pillo, con este granuja!

(El ruido de las coplas llena la escena. Una campana rompe a tocar lejana y furiosamente.)

Telón

FIN DE

«LA ZAPATERA PRODIGIOSA»